転換期の時代を生きる

上條 秀元

はじめに

私は長野県安曇野の小さな町で1943（昭和18）年に生まれました。我が国がアメリカとの戦争（太平洋戦争）に敗れて終戦を迎える2年前です。しかし、物心がついたのは2、3歳になってからですから、戦後世代の一人と言えるかも知れません。

当時の子どもたちは、家族や地域の人々との触れ合いの中で平和の尊さを学ぶとともに、学校では平和憲法に基づいた教育を受けました。しかも、学校だけでなく、映画館も優れた教育の場だったのです。たとえば、小学校高学年期に「ひめゆりの塔」と「ひろしま」という映画を別々の日に見る機会がありました。当日は、先生方の引率により、同じ学年の4クラス160名ほどの生徒が一列に並んで、映画館まで足を運びました。片道15～20分ほどの距離でしたが、映画を見る機会がめったに無かったためもあって、浮き浮きした遠足気分で歩いたことを覚えております。

ちなみに、「ひめゆりの塔」は、1945年3月に米軍が沖縄に上陸して、日本軍だけでなく県民に対して激しい攻撃を加える中で、陸軍病院に配属された「ひめゆり部隊」の女子学生たちが逃げ惑い、犠牲になる姿を描いた作品です。また、「ひろしま」は、この年の8月6日に広島に投下された原爆による被害の状況を描いた作品です。我が国が終戦を迎えたのは8月15日ですから、その数日前のことでした。そこでは、悲惨な街の情景や変わり果てた人々の姿を描くとともに、急性被爆の症状に苦しみ、貧困や差別に悩まされる姿がリアルに表現されておりました。後で判ったことですが、そのような姿を被爆者自らが演じたそうです。いずれの映画も、戦争がいかに残酷で悲惨なものであるかという印象を私の心にしっかりと植えつけることになりました。

こうした少年時代の経験は、その後の人生において「平和な住みよい社会をつくるためにはどうしたらよいか」という課題意識を持ち続けるきっかけとなりました。ですから、本書に収められたいずれの一篇においても、このような意識をもって執筆しております。

本書では、第一章で、「住みよい社会づくりの先駆者たち」について紹介し、次いで第二章で、様々な角度から「近年の政治・社会の動向」を紹介するとともに、今後の課題について考察しております。そして第三章で、「平和を願う人々の足跡」を辿った上で、「戦争のない世界への道筋」を提案いたしました。

本書に収めた文書を書き始めたのは、5年ほど前のことです。地元のエッセイの会に参加したことがきっかけでした。名称は〝エッセイ〟の会ですが、エッセイだけでなく、社会評論や書評、詩や短歌、生活体験など、会員が自由に書いて発表しあう場です。こうした場で意見をいただいたことも大変参考になりました。この間、新型コロナの感染が広がって多くの犠牲者が出ました。ようやく収まってきたようですが、まだ予断を許しません。この体験も、政治・社会の在り方や自分自身の生き方を問い直すきっかけとなりました。

私自身、80歳を間近に控える中で、年齢的に、また健康・体力面でも人生の一つの区切りと思い、冊子としてまとめる決意をした次第です。本書に収められた事例や文献の解説、そして私なりの〝処方箋〟を、若い世代の方々を含めて、少しでも参考にしていただければ幸いです。また、各地の読書会や学習会において、話し合いの題材としてご活用いただければ幸いです。

目次

第一章　住みよい社会づくりの先駆者たち

鎮守の杜を守った南方熊楠

村の鎮守の神さまの　今日はめでたいおまつり日
ドンドンヒャララ ドンヒャララ　ドンドンヒャララ ドンヒャララ
朝から聞こえる笛太鼓

これは「村祭り」という歌である。今の子どもたちは知っているだろうか。私の子どもの頃は、小学校唱歌として教科書に採用され、子どもたちは祭りを迎えた喜びをこの歌によって表現した。当時は、作物の収穫への感謝の気持ちを籠めて、地元の神社（鎮守の杜《もり》）で秋祭が行われた。子ども心に大変楽しみにしていた年中行事の一つであった。参道の周りには、金魚すくいや綿あめなどの出店がずらりと並び、私も親からいただいたわずかなお小遣いを、この時とばかりに使い切った。社殿前の広場に設けられた舞台では催し物が行われ、人々で大いに賑わった。

このような営みが営々と行われてきた鎮守の杜であるが、明治時代末期の１９０６年（明治39年）に、政府は各地にある多くの神社を合祀《ごうし》して、1町村1神社を標準とする「神社合祀政策」を全国に励行した。それは、神道国教化政策の一環として、伊勢神宮と宮中祭祀を頂点とし、市町村の神社を底辺とするヒエラルキーを作り上げ、神道をもって国民の精神的統一を図ろうとするものであった。

この政策に対して反対運動を起こしたのが、南方熊楠《みなかたくまぐす》（1867〜1941年）であった。熊楠については、その業績があまりにも多岐に亘っていることから、民俗学者、生物学者、粘菌研究者、博物学者などの「どれも当てはまるようだが、どれも超え出てしまっているようにも思われる」（唐澤太輔『南方熊楠』）とも評価されている。熊楠は、青年期の約15年間を海外（アメリカ、キューバ、イギリス）で過ごしたが、後半生は和歌山県田辺に居を構えて活動した。

熊楠が田辺に暮らし始めて植物採集にいそしんでいた1907（明治40）年4月のことである。明治政府が、近所にあった糸田猿神祠《いとださるがみし》の合祀と森林の伐採を決定した。熊楠は、前年に粘菌の新種「アオウツボホコリ」をこの神社のタブノキの倒木で発見している。生涯で10種類発見しているが、これがその最初であった。そのことが、神社合祀反対運動のきっかけとなったという。

熊楠は、地元の新聞『牟婁新報《むろしんぽう》』に論陣を張り、反対運動を本格化させていった。その中で、自然の風景・生態系は曼荼羅のように複雑に、そして絶妙なバランスで成り立っており、一時の利益のためにそれを破壊してはならない、と強く主張した。また、民俗学者の柳田国男や東京帝国大学で植物学を教授していた松村任三、内務官僚で和歌山県知事なども歴任した川村竹治などに書簡を送って協力を依頼している。

熊楠は、川村竹治宛の書簡で次のように述べている。

御承知のごとく、殖産用に栽培せる森林と異《かわ》り、千百年来斧斤《ふきん》を入れざりし神林は、諸草木相互の関係はなはだ密接錯雑いたし、近ごろはエコロギーと申し、この相互の関係を研究する特殊専門の学問さえ出で来たりおることに御座候。

このように、今から百年以上も前に、既に「エコロジー」の基本概念を理解していたのである。熊楠は、鎮守の杜が破壊されることによって、自然界の微妙かつ絶妙な生態バランスが崩れるという問題を指摘するとともに、人間性の崩壊やその周りの住民と文化の関係、いわゆる「社会生態系」の問題を取り上げ、それらを一つの関連した問題として捉えた。

熊楠が反対運動を起こした当初は孤軍奮闘であったが、先にあげたような働きかけにより、知識人・官僚等を動かすようになる。その結果、１９１８（大正７）年３月に合祀の中止が決定された。しかし、１９１４（大正３）年までに、全国に約20万社あった神社の内、７万社が取り壊されるなど、おびただしい数の神社が失われてしまったという。そうした中で、和歌山県田辺湾神島《かしま》の弁天社も新庄村の大潟神社に合祀され、森林の伐採が始まった。当時、島は照葉樹林で覆われ、そこには南方系のハカマカズラ（ワンジュ）など、珍しい植物が多く見られた。そこで、熊楠たちは村長を説得して取り止めることができた。その後保護に努めた結果、１９３６年９月には、神島は史蹟名勝天然記念物に指定されたのである。

ところで、熊楠の家族はどのような関わりがあったのであろうか。熊楠は１９０６年に田辺闘鶏神社宮司の娘田村松枝と結婚し、２男１女をもうけている。松枝は後に熊楠の菌類収集を手伝い、熊楠をして「本邦で婦人の植物発見の最も多きはこの者ならん」とまで言わしめるほどであった。熊楠の亡き後も、娘文枝とともに熊楠の蔵書や遺稿、遺品を守り、その散逸を防いだという。松枝のこうした姿を知ると、熊楠の合祀反対運動に際しても、宮司の娘という立場を生かして関係者に働きかけるなど、運動を支えたのではないかと推察される。しかし、残念ながら、このことについて言及した文献には巡り合っていいない。

【引用文献】 唐澤太輔『南方熊楠』中公新書、２０１５年4月（２０２０年5月）

照葉樹林を守ったまち、宮崎県綾町

去る９月の台風15号は関東地方、特に千葉県に、そして10月の台風19号は長野県にこれまでにない大きな被害をもたらした。このことは、当面の対策強化の重要性とともに、大型台風を引き起こす地球温暖化への対応や林業の衰退がもたらした問題、例えば、山林の荒廃により倒木や山崩れが起こりやすくなり、保水力の低下により水害が拡大したといった問題に対処することの重要性を浮き彫りにした。この点で、次に紹介する事例は示唆に富むものである。

綾町《あやちょう》は、宮崎市から車で約40分、山間部を抱えた人口7千人余りのまちで、面積の８割を山林が占めている。国策として進められた「平成の大合併」の流れには乗らず、「小さくても輝くまちづくり」を目指した取り組みを進めてきた。その背景には、照葉樹林の保護・

復元のための活動をはじめとして、有機農業や工芸による町おこしなど、住民参加によって培ってきた独自の地域づくりの力があった。

綾町では、1966（昭和41）年に、山林伐採の話が営林署長から郷田實町長に持ち込まれた。郷田さんは、木工のまちづくりを計画しているところだったので、「伐るのは困ります」と返答したが、「もう決まったことだから」と、取り合ってくれない。国有林ではあるが、伐採の際には「地元行政の意見を聞く」ことになっているので聞いただけという姿勢であった。しかも、町議会の反応は「働く場ができていいじゃないか」「いまどき山の自然を残してどうなる」と、おおむね伐採に賛成であった。郷田さんは、「自分が生まれ育った故郷の自然の風景を台無しにされるのは御免だ。それに、代わりの国有林は他にいくらでもあるじゃないか」という気持ちであった。しかし、それだけでは反対の根拠に乏しい。営林署に思いとどまらせるためには、まずは議会や町民を納得させなければならない。

そこで、県立図書館から山と自然に関する本を借りて、片っ端から読み始めた。昼間は町長の執務で忙しいので、本を読む時間は夜しかない。後で考えると、「よく生きていたな」と思うほど徹夜を続けて、数十冊の本を読み漁った。その中で中尾佐助先生の照葉樹林文化論（『栽培植物と農耕の起源』岩波書店刊）に出会ったことが、綾町の運命を変えるきっかけになった。照葉樹林帯は東アジアの温暖帯に広がっていること、樹木は葉が光り輝くので照葉樹と呼ばれる常緑樹で構成されていること、その中には、お茶、みかん、びわなども自然に生えており、漆、麹、餅の文化もここから生まれているなど、日本の生活文化の原点であることを知った。しかし、その貴重な自然は、儲けたいという資本の論理によって、いまどんどん失われて行っている。この山林を伐ってしまうことは、綾のためだけでなく、我が国のためにもならないのではないか。これはどうあっても今回の話はつぶさなければならないと、はっきりと確信をもって反対することができるようになったという。

そこでまず、消防団長を説得した。山火事から森林を守ってきたことで、営林署から一目置かれている消防団を味方につけるためである。「あの山はわれわれの先輩が命がけで守った山であり、何人かの団員が命を落としている。一私企業のパルプ材にするためだけに山を伐らしてしまってよいものか」「水源の植生が代わって、もう二度と黄金の鮎は育たなくなる」などと。すると、「それはけしからんことじゃ」と、消防団長はすぐに同調してくれたという。そして、自治公民館で住民と率直に意見交換をするとともに、消防団員と役場職員が一体となって反対署名を集めたところ、全住民の75%の反対署名が集まった。

議会に報告すると、議員たちは怒った。「こういう大事なことを議会に諮らずに勝手にやっていいのか」と。これに対して、町長は消防団長に話したのと同じ説明をしたが、何といっても町民の7割以上が反対していることはインパクトがあり、議会は反対決議をした。

さっそく陳情書を作って県と営林局に持っていったが、「上で決まったことだから」と相手にしてくれない。そこで、陳情団を組織して、東京の地元選出の国会議員に相談すると、農林大臣の倉石忠雄さんを紹介してくださった。倉石さんは話を聞くと、「良く分かった。国有林は広いんだから、地元が困るという所を無理に伐採することはない」と言ってくださり、この話は取り止めになったという。

こうして、この話は無くなったが、まず必要なのは働く場である。そのためには「自給自足を確立しなくてはならない」と考え、それまでの「買う農業」から、「自給自足の農業」への転換を図った。その際、農薬や化学肥料を使わない昔ながらの健康な野菜をつくろうと、みんなが自分の家で作る「一坪菜園運動」を起こした。また、農家には採算が取れるように価格保障制度を導入した。その際、化学肥料は努めて使わないこと、除草剤を使わないで土づくりをすることという条件をつけた。これを進めるうちに、「綾には無農薬の美味しい野菜がある」と評判になり、宮崎市内の主婦たちもわざわざ買いに来るようになった。そして、綾町は「有機農業の町」として全国に知られるようになったという。

一方、山を刈る話はその後も毎年持ち込まれ続けた。そこで一計を案じて、綾の自然林を国定公園にしてもらおうと考えた。そうすると、山は生産の場ではなくなるので、やたら伐採するわけにはいかなくなる。これにも林野庁が徹底して反対したが、粘り強く国と交渉を続け、1982（昭和57）年にようやく認められた。申請してから13年後のことであった。この間、自然林を守りながら、一人でも多くの人に素晴らしい自然を見てもらうために、渓谷に吊り橋を架けることを思いついた。議会に提案したところ、「渡った向こうが原始林で一軒も家が無いのに橋が必要か」などと反対の声があがったが、何とか議会に納得していただき、過疎債により財源を確保したいと、何度も東京に足を運んで担当課長を説得し、許可を得た。こうして、長さ250メートル、高さ120メートルという当時世界一の歩道吊り橋が完成した。

その後、2005（平成17）年には綾町内外の有志により「てるはの森の会」（後に一般社団法人化）が結成された。綾川流域の照葉樹林帯の保護・復元と併せて、県内外の照葉樹林帯の回廊を創出するための取り組み、照葉樹林に関する調査研究、広報・啓発活動、環境教育、子どもたちも参加する里山づくりなどを行っている。郷田元町長のご息女の美紀子さんも、遺志を受け継いでリーダーの一員として活躍しておられる。２００５年には、この会と九州森林管理局、宮崎県、綾町、自然保護協会の５者による照葉樹林・保護復元プロジェクトが開始された。その後、役場に照葉樹林文化推進専門監を配属、

２００８年には林野庁が新設した森林生態系保護地域に選定、２０１１年に国際照葉樹林サミットを開催し、中国、韓国、ブータンなど国内外から7百名近くが参加。そして、これらの実績を踏まえて、２０１２年7月には「綾ユネスコエコパーク」として登録されるというように、活動は発展を遂げてきた。

なお、吊り橋はその後全国に知られる観光資源となった。筆者も訪れたことがあるが、そこから眺める照葉樹林のパノラマは生き生きとした光沢を放ち、大自然の偉大な力を示すとともに、我々の心に潤いをもたらしてくれるのである。

【引用文献】　郷田　實、郷田美紀子『結の心―子孫に遺す町づくりへの挑戦―（増補版）』評言社、２００５年

（２０１９年12月）

女子高等教育への道を拓いた津田梅子（前編）

明治期に津田塾大学の前身である女子英学塾を創設した津田梅子（以下「梅子」とする）に対して、このところ世間から注目が集まるようになった。２０２４年度から新５千円札の顔となることも影響しているようである。

私もここしばらく、数冊の梅子の伝記書に目を通してきた。ここでは、古川 安氏（科学史家）の著書に基づいて、梅子の足跡を紹介したい。この著書を選んだのは、梅子がアメリカ留学時に自然科学の学識を身につけたことがその後の人生において大きな役割を果たしたことについて、著者が独自に収集した情報を含めて詳細に記述するなど、他の伝記書に見られない特色を有していると感じたからである。

以下、まずは幼少期から梅子の足跡をたどっていこう。

１８７１（明治４）年12月23日、岩倉具視を特命全権大使とする欧米使節団（「岩倉使節団」）を乗せた船が横浜港を出港した。

この船に官費留学生として渡米する５人の少女が乗船していた。これらの少女のアメリカ派遣を建議したのは、北海道開拓使次官の黒田清隆である。先にアメリカを視察した経験に基づき、近代国家を建設する男子を家庭で育成するために、母親としての資質を身につけることが必要と考えたことによるという。

１８７１年秋、黒田の建議は政府に承認され、女子留学生の募集が行われた。留学期間は10年。政府が旅費、学費、生活費を負担し、さらに年間８００ドル（現在の４００万円に相当するという）の奨学金を支給するという条件であった。黒田らがこの少女たちに託したものは、10年間にわたる「アメリカの家庭生活の体得」であった。

応募件数は少なく、結局最年少の梅子（満6歳）を含めて5名が応募した。この中には、その後終生の友となる山川捨松《すてまつ》（11歳）、永井繁子（9歳）も含まれていた。いずれも親が旧幕臣の出身であった。梅子の応募には、農学者・教育者である父親の津田仙の役割が大きかったという。下総国《しもうさのくに》佐倉藩（現・千葉県）の武士の子に生まれ、若くして蘭医などから英語を学んだ。幕末には、幕府の通弁（通訳）として訪米。半年程の滞在で人生観が変わるほどアメリカの人々や文化から影響を受けたという。

女子留学生は、アメリカ到着後に別々の家庭に預けられた。梅子はワシントンＤＣの近郊、ジョージタウンに住むチャールズ・ランマン家に預けられた。ランマン家は、白人中産階級のプロテスタントの家庭であった。子どものいなかったランマン夫妻は、梅子を我が子のように慈しんだという。

1872年秋、私立の小学校に入学。8歳にして、自ら進んでキリスト教の洗礼を受けた。1878年6月に小学校を卒業し、9月からハイスクールレベルの私立女学校、アーチャー・インスティチュートに通った。この学校では17科目を履修したが、このうち、特に語学、数学、究理（物理）、天文に好成績を収めたという。

梅子は聡明で率直で、しっかり者の少女に育った。育ての父チャールズ・ランマンは梅子について、「日出ずる国から訪れた太陽の光であり、わが家を明るくしてくれた」「知性の輝き、性格の誠実さにおいても全く素晴らしい子供である」などと賞賛したという。アメリカの家族の一員として育ち、アメリカ人と価値観や考え方を共有した梅子であったが、自分はアメリカ人とは違うオリエンタルであり、日本人であるという意識をもっていたという。

1882（明治15）年6月、女学校を卒業し、同年11月に捨松とともに帰国した。梅子は17歳、捨松は23歳であった。

梅子は、当面は教師になることを希望していた。けれども政府は、梅子らに対して何の受け入れ準備もしていなかった。男子留学生とは異なり、アメリカの家庭生活を体験することで、日本婦女の模範となる「賢母」となることを期待して送り出した政府と、日本女性の教育を使命として送り出されたと理解する梅子らの意識との間には齟齬《そご》があったという。

梅子のもう一つの悩みは言葉の問題であった。幼くして留学したこともあって、日本語はすっかり忘れてしまい、読み書きもほとんどできない状態であった。このため、私塾の講師から国語と書道を習い、その傍ら同校の女生徒に英語を教えるなど、公的な仕事が見つかるまでの間は、英語の講師や通訳などのアルバイトをして過ごしたという。

１８８５（明治18）年9月、華族女学校の開校に伴い、中学科の英語教師として採用された。帰国から3年を経ており、21歳になっていた。採用時の職位は教授補であったが、11月には教授となった。ようやく定職についた梅子であったが、この頃から「第一級の教師（first-rate teacher）」になるために、捨松や繁子のようにアメリカで大学教育を受けたいと強く願うようになっていった。

そこで、１８８８年の春から夏にかけて、この夢の実現に向けて具体的に動き出した。日本で梅子の相談相手となり、背中を押したのが、アリス・ベーコンであった。ベーコンは捨松の留学の際にお世話になった家庭の娘で、捨松の計らいで華族女学校に英語教師として来日していた。一方、父の仙が創設した学農社農学校の英語教師、ウイリアム・ホイットニーの娘クララに相談したところ、クララの人脈を通じて、ブリンマー大学で受け入れていただくことになった。

ブリンマー大学は、フィラデルフィア郊外のクエーカー教系の女子大学である。同校の理事会は、梅子を特別生として受け入れることを決定した。しかも、授業料・寮費・食費は免除されることになった。こうして、再留学の夢が実現することになった。ここには、梅子の実績と人柄、そして人脈の力が働いていたのである。

（続編に続く）

（2022年9月）

【引用文献】（続編、後編も同様）

古川 安『津田梅子　――科学への道、大学の夢』東京大学出版会、2022年1月

女子高等教育への道を拓いた津田梅子（続編）

梅子は１８８９（明治22）年７月に官費留学生として再び渡米して、アメリカの新学期に当たる秋学期からブリンマー大学に入学した。この時、24歳であった。当時、アメリカ東部には７つの私立女子大学があったが、ブリンマー大学は比較的新しく、梅子が入学する４年前の１８８５年に創設されたばかりであった。

梅子は学士号を目指さない特別生（special student）という身分であった。しかし、必要な単位を取得すれば正規の学部学生への編入が可能であった。大学には、文学科などいくつかの分科があったが、色々考えた末、生物学を専攻科目とし、他に23科目を聴講することとした。華族女学校の英語教授として、梅子の本来の入学目的は英語教授法であった。しかし、梅子は敢えて生物学を専攻する道を選んだのである。

ブリンマー大学はいわゆる「良妻賢母」的女性を育てることは目的としなかった。当時、「家政学」の運動が女性の間で起きていたが、学部長（後の第２代学長）のケアリー・トマスはそれを拒否するだけでなく、一切の「家庭性」に関わる科目を排除したという。トマスは、当時の生物学の研究成果に基づいて、学力・知性において男女による性差はないことを確信していた。トマスが目指したのは、男性と同等に最高水準の学問を学び、研究し、優れた教師や研究者を育てることであった。このため、大学院教育、特に博士号を目指す研究者養成教育を重視した。

当時のアメリカでは、「高等教育は女性の健康を蝕む危険がある」とまことしやかに囁かれていた。この風潮の中で、科学の道に進む女性は少なかった。その意味で、自然科学に力を入れたブリンマーの教育は、全米でも先駆的であった。これに対して、捨松と繁子が留学の際に学んだヴァッサー大学は、リベラルアーツ（教養）教育を中心とするカレッジであった。ブリンマーはその一歩先を行っており、大学院教育を重視し、高度な専門研究者の養成を目指していた。

おそらく梅子は、ブリンマーがこのような大学であることは知らなかったのであろう。偶然であったとは言え、この大学で学び、さらには研究に勤しんで実績を挙げたことは、梅子のその後の人生にとって大きな意味をもつことになる。

梅子が専攻として選んだブリンマーの生物学科は、全米の大学でも特筆すべき地位にあった。同学科の設置は、女子大学として初めてであり、全米の大学の中でも数少ないケースであった。しかも、梅子の留学時には、将来の学会をリードする3名の気鋭の若手生物学者が教鞭を執っていたのである。

このような環境の中で、梅子は生物学の履修において、ほとんどの教科で優秀な成績をおさめた。しかも、通常の学生以上に生物学を深く学ぶ履修の仕方であったという。

約束の2年間の留学期間が満了する直前の6月、梅子は1年間の滞在延長願を華族女学校に申し出た。理由として、あと1年間勉学すれば卒業できること、これは帰朝後に教育に従事する上で大いに関係することをあげた。卒業には4年かかるので、「卒業」という言葉は方便であろう。実際の理由は、あと1年間で生物学専攻のほとんどの必要な専門科目を履修できるという見通しをもっていたからであろう。

幸いなことに延長願いは認められたが、その条件として新たに「アメリカの女子教育の調査」という義務が課せられた。今度は給与の付く留学ではなく、「非職」（休職）扱いとなり、1年間の手当て分として300円が支給された。

梅子は、これを機会にさらなる生物学の勉学に邁進した。こうして、新進気鋭の生物学者から指導を受け、梅子は学生から研究者へと鍛えられて行くのである。

まずは、1891年7月から8月にかけて、マサチューセッツ州のコッド岬にあるウッズホール臨海生物学実験所で開催された夏期コースに参加した。参加学生は各地の大学から選ばれた44人で、うち半数を女性が占めていた。ブリンマー大学からは、梅子を含めて3名であった。7週間にわたり、動物学と植物学の各種の講義と試料採集や顕微鏡を使った実習が行われた。生物学研究者を志す学生にとって、極めて有益な実地体験となるコースである。この秋にブリンマー大学に着任するモーガンも講師陣の一人として講義を行っており、梅子にとって初めての出会いであったと思われる。また、当時はクラーク大学助手であり、後に東京帝国大学教授に就任する渡瀬庄三郎も講義を行っている。渡瀬は以前、ジョンズホプキンス大学院に留学して、論文「節足動物複眼の形態学について」で博士号を取得していた。

夏期コースへの参加は、梅子にとっても極めて有意義な研修の機会であったと思われる。その後、秋学期にはモーガンの「ポスト・メジャー生物学」をとった。これは、優秀な能力を有するとみなされた学生のみが履修できる特別研究の一つであった。梅子に与えられたテーマは、「蛙の卵の軸定位に関する研究」であり、赤ガエルの卵を材料に使って、その卵割の様子を観察するものであった。これは実験発生学的研究という先駆的な研究手法の一つであったという。

翌1892年の春、梅子は結果をまとめてモーガンに提出した。この研究は、同年の学長の理事会への年次報告書にも記載されるほどに注目された。その研究成果は、梅子が帰国した2年後の1894年、モーガンとの共著論文「蛙の卵の定位」（The Orientation of the Frog's Egg）として、イギリスの科学雑誌に掲載されることになる。日本人女性として自然科学の研究論文が外国の学術誌に掲載されたのは、おそらくこれが初めてであろうと言われており、画期的なことであった。なお、モーガンはそれから40年ほどたった1933年に、突然変異の研究でノーベル生理学・医学賞を受賞することになる。

こうして、3年余の留学生活を終えて帰国の時を迎えた。梅子はトマスから大学に残って研究を続けるよう強く勧められた。ブリンマーの教授たちも梅子の研究者としての才能を高く評価し、もし研究を続けていたら、科学界で大きな成功を収めただろうと言っていたという。

このまま残れば、正規学部生に編入した後に大学院生として好きな研究に勤しむことができる。モーガンの下で博士号を取得することも可能であったであろう。しかし、悩みぬいた末に、梅子は「後ろ髪を引かれる思い」を断ち切って、帰国の道を選んだ。

そもそも、梅子の表向きの留学目的は、英語教育での教授法の習得であった。しかも、官費留学である上に、英語教育のためという理由で1年の延長まで認めていただいた。帰国して奉職しなければならないという強い義務感もあったのであろう。それとともに、梅子は帰国したら女子の高等教育を目的とする私塾をつくるという計画を留学中から暖めていた。

梅子の留学期限は1892（明治25）年の5月であったが、父の仙を通して華族女学校に3か月の帰国延長を願い出て認めていただいた。そして、モリス夫人の後押しを受けてアメリカ女性に対する募金活動を行い、日本女性の留学のための「日本婦人米国奨学金」制度を設置したのである。

（後編に続く）

（2022年9月）

女子高等教育への道を拓いた津田梅子（後編）

梅子はアメリカでの3か年の留学生活を終えて1892（明治25）年8月12日に帰国し、9月から華族女学校に復職した。この時、28歳であった。

当時は、女子には高等教育は不要ないしは有害であるとの見解が教育者や為政者の間で支配的であった。結婚して良妻賢母となることが女性の役割であるから、女子教育はこのためになされるべきである。したがって、女性に専門的な学問の機会を提供する必要はないというものであった。

このように、女子高等教育不要論がまかり通っていた風潮の中で、梅子のリーダーシップにより、１９００（明治33）年に女子英学塾は産声をあげた。この塾の開設には、女子留学生として共に渡米した大山（旧姓・山川）捨松と瓜生繁子も協力した。特に捨松は、陸軍の幹部大山巌の妻として、また「鹿鳴館の華」と評価された社交力を生かして、女子英学塾の顧問、社員、理事、さらには同窓会の会長を務めるなど、献身的に塾を支えた。

女子英学塾は、「英語ヲ主トシテ女子ニ高等専門ノ学芸ヲ教授スル」ことを目的に掲げた。開校式において、梅子は次のような祝辞を述べた。

「英語を専門に研究して、英語の専門家になろうと骨折るにつけても、完《まっ》たき婦人（complete woman）となるに必要な他の事柄を忽《ゆるが》せにしてはなりません。完たき婦人即ちオール・ラウンド ウーマン（all—round woman）なるやうに心掛けねばなりません。」

この言葉が示すように、梅子は英語の専門家であるとともに、広い視野と識見を兼ね備えた人間形成をめざしていた。将来的に大学への発展を視野に入れながら、まずはここからスタートしたのである。

女子英学塾は、東京市麹町区内の貸家を校舎として始まった。その後、より広い校地に移転し、1903(明治36)年にアメリカの婦人篤志家の資金援助を受けて、麹町区5番町に移転した。ここには、寮も新設された。

翌1904(明治37)年に専門学校の認可を受け、同年に文部省から社団法人として認可された。なお、戦前の「専門学校」は中等教育修了者(女子の場合は高等女学校や師範学校の卒業者など)を対象とした「高等ノ学芸技芸ヲ教授スル学校」であった。修業年限は3年以上とされた。

1905(明治38)年には、中等教員無試験検定資格を得た。これにより、卒業生は無試験で中等学校英語科の教員資格が得られることになった。このこともあって、生徒数は開校時の10数名から8年後の1908(明治41)年には150名に増えた。こうして、塾は短期間に順調な発展を遂げた。

梅子は開校以来、学生たちに専門の英語を勉強するだけでなく、幅広い教養を身につけることの重要性を訴えた。カリキュラムは英語を主体としたが、倫理、心理、教育、国語、漢文、歴史、体操などの科目も設けられた。また、課外授業として特別講演会を行った。

ここでは、『武士道』の著者としても知られている新渡戸稲造も講演を行っており、生徒から好評を博したという。新渡戸は社団法人女子英学塾の社員も務めている。

教室での梅子の授業は厳格かつ情熱的であったという。後に梅子の後継者となる星野あいは、学生時代に授業を受けた際の感想として、「先生の少しのごまかしも許さぬ厳しさは身に染みて今に至るも忘れることができない」と『小伝』に記している。例えば、ちょうど日露戦争中であったので、「この時代にどうすれば国家の役に立てるか」と先生に問われて、「毎日毎日の節約が大切で、食事もぜいたくをしてはなりません」と答えた。すると先生から、「ただでさえ日本人は栄養の取り方が少ないのに、節約するというだけではだめです。肉の代わりに安くて栄養のある豆腐を食べるといい、というように具体的な例をあげなさい」と指摘をされたという。

梅子は星野を自分の後継者にしたいという強い思いがあったのであろう。塾を卒業した後に静岡英和学校の講師として赴任していたところ、梅子の勧めにより、ブリンマー大学で学ぶことになった。このための経費には、梅子が留学した際に設置した日本婦人米国奨学金が充てられた。星野は4人目の受領者であった。渡米後、まずは受験勉強のために予備校に2年間通った。その間に英語力を身につけるという目的もあったのであろう。その上で受験して、１９０８（明治41）年の10月に入学した。

当時のブリンマーの学長は、梅子が在学した際に学部長として目をかけていただいたケアリー・トマスであった。ブリンマーの学部学生は、２年間の教養課程を終えた後に２つの専攻分野で学ぶことが義務づけられていた。英文学を専攻することを勧められたが、星野は生物学と化学を専攻した。これには、それまで理系の学問に馴染んできたことも影響したようである。梅子と同様に理系の専攻を選んだが、梅子と違って履修はメジャー科目のみで、より専門的なポスト・メジャー科目は履修せず、研究者としての訓練は受けなかった。とは言え、星野のブリンマー留学は、梅子の留学の「追体験」となった。アメリカにおける女性の科学教育の実態を知り、後に塾の理科創設に繋がる貴重な体験となったことは間違いないであろう。

星野は１９１２（大正元）年に学士号を取得して帰国し、女子英学塾で教えることになった。英語と英文学を担当したが、生物学も教える機会があったという。

１９１８（大正７）年、梅子は星野に再度のアメリカ留学を勧めた。梅子は前年に病に倒れたこともあり、後継者として一層グレードアップすることを期待したからであろう。そこで、１年間ニューヨークのコロンビア大学大学院のティーチャーズ・カレッジに学び、教育学の修士号を取得して１９１９（大正８）年9月に帰国した。

　帰国後の星野には多忙で多難な道程が待ち受けていた。梅子が体調不良により塾長を辞任した際に赴任した辻塾長代理の下で教頭を務め、その後塾長代理を経て、１９２９（昭和4）年に第2代塾長に就任した。その後、校地の小平移転、財団法人化と津田英学塾への校名変更、戦時中の理科創設、戦後の津田塾大学創設と初代学長就任へと、多忙でかつ多難な人生を乗り切って行ったのである。

　なお、梅子は塾長を辞任した後に自宅や別荘で穏やかな日常を過ごし、１９２９年8月16日、脳出血により、64年の生涯を終えた。

　ところで、戦前期の女子の高等教育の機会は、官立の女子高等師範学校と私学を中心とした女子専門学校に限定されていた。この中で、専門学校の卒業生は中等教育の教員免許状を得て教職につく資格を得ることができたものの、学科は国文科、英文科、家政科などに集中しており、数学、物理、化学、生物などの理科系の教員養成は、女子高等師範学校（東京、奈良）に譲らなければならなかった。

　こうした状況を一変させたのが、太平洋戦争であった。あれほど女子の科学教育に否定的であった文部当局の方針が一転したのである。原因は、多くの男性が戦地に出征したことにより、中等学校の理科教員や科学者の不足が生じたことであった。

太平洋戦争は津田英学塾にも次に述べるような新たな試練を課すことになった。

我が国ではそれ以前から英米をはじめ英語を国語とする諸国との関係悪化が進み、日米開戦となる頃には、英文科をもつ多くの専門学校がこれを他の学科に変更しなければならなくなっていた。その中にあって、文部省は津田英学塾に対しては英文科を廃止せよとは言わなかった。しかし、学生が登校中に車内で英語の本を読んでいたところ、一人の男から本をひったくられて人々の前で面罵されるというように、あらゆる面で社会の圧迫を感じずにはいられなかったという。

一方、全国の高等女学校は、英語が敵性語とされたことから、必修から外して随意科目とし、さらには廃止する方向に向かって行った。これにより、英語教員の採用は激減し、塾の学生数も年々減る一方であった。

このような厳しい状況を乗り切るために、星野塾長が学内に設置した審議委員会に諮った上で、1942（昭和17）年に「起死回生の一手」として打ったのが理科創設であった。ここでいう「理科」とは、自然科学を教育する組織の名称であり、大学で言えば「理学部」に相当するものであった。

委員会は答申書で、「理科」に数学科、生物学科、物理学科、地質鉱物学科等の諸学科を置くことを提言した。その理由として、津田前塾長がもともと生物学を専攻し、自然科学に興味を有し、日常自然の観察に学生を導いた事実に徴するならば、新学科の増設は前塾長の遺志並びに本塾の従来の経営方針に適うものであることがあげられた。

この答申を受けて、臨時理事会に諮った上で最終検討をした結果、理科を数学科と物理化学の2学科に絞ることを決定した。そして、物理化学科のカリキュラムには、生物学、生理学、地質鉱物学の授業科目が盛り込まれた。

しかし、理科を開設するためには、理科教室や化学実験室その他の設備を整えなければならず、無から有を生じさせるような大きな労苦を伴った。しかも、戦時下のために必要な機材、器具の買い入れには複雑な手続きを要した。これらの試練を乗り越えて、文部省から認可が下りたのは、１９４３（昭和18）年1月であった。そして同年4月に、理科では数学科26名、物理化学科32名の新入生を迎えることができた。

戦後の学制改革を経て、１９４８（昭和23）年度からの大学昇格が文部省から認可され、梅子の遺志を受け継いだ星野学長の下で、津田塾大学として再出発することになった。なお、この年は英文学科のみが認可されたが、翌年には数学科の増設が認められた。一方、戦時下に萌芽した物理、化学の専門教育は設備面などの不備もあって、認可されなかった。

1972（昭和47）年12月5日、星野は87歳の天寿を全うしたが、梅子と同様に生涯独身を貫いた。晩年に詠んだ句に、「夫《つま》も子もなき身なれどもわれたのし 教え子あまた身近にめぐる」があるという。

津田塾大学は、その後21世紀に入って、学芸学部の中に数学科に加えて情報科学科を設置し、さらに、研究者や専門家を養成するために大学院を設置して数学専攻・情報科学専攻からなる理学研究科を設けるなど、理科の伝統は脈々と受け継がれてきた。

そして今日、学部には学芸学部と総合政策学部を置き、学芸学部には英語英文学科、数学科、情報科学科、国際関係学科、多文化・国際協力学科を置いている。また、大学院には文学研究科、国際関係学研究科、理学研究科を置いている。また、都内千駄ヶ谷にもキャンパスを設置している。

このように、梅子が唱えた建学精神は後の世代に引き継がれ、試練を乗り越えながら実を結んでいったのである。


（以上）

（2022年9月）

いわさきちひろの絵が訴えること

この5月、コロナ禍により閉館中であった都内の美術館が再オープンしたので、以前から行きたいと思っていた練馬区下石神井の「ちひろ美術館・東京」を訪ねた。ちひろの生前の自宅があった土地に新築した施設である。長野県の「安曇野ちひろ美術館」には、私の妻も安曇野の出身ということもあって、帰省の折に2人で何度か訪ねたが、この美術館は初めてであった。ちょうど、特別展「子どものしあわせ〜12年の軌跡」と「瀬川康雄展」を開催していた。瀬川展では、平家物語などの独特の個性的な挿絵を楽しく鑑賞した。私の子どもたちがまだ赤子の頃に買って何度も読んであげた絵本、『いないいないばあ』の絵にも出会い、懐かしくあの頃を思い返した。『子どものしあわせ』は月刊雑誌名であり、その表紙絵をちひろが没する1974年までの12年間、描き続けたものである。

それらの作品群の中で特に印象に残った一枚の絵は、子どもの横顔であった。淡彩の横顔の輪郭の先に、反対側の目からスッと伸びた一本の細いまつ毛がさらりと描かれている。その線が、純粋無垢な子どもの姿を一層引き立てているように感じた。

ちひろの作品には、子どもの姿を描いたものが多い。ちひろは、子どもとの関りについて次のように述べている。

「実際、私には、どんなにどろだらけの子どもでも、ボロをまとっている子どもでも、夢をもった美しい子どもに、みえてしまうのです。」

「親はどうしてもさわらずにはいられないものじゃないかしら。私はさわって育てた。小さい子どもがきゅっとさわるでしょ。あの握力の強さはとてもうれしいですね。あんなぽちゃぽちゃの手からあの強さが出てくるんですから。そういう動きは、ただ観察してスケッチだけしていても描けない。ターッと走ってきてパタッと飛びついてくるでしょ。あの感じなんてすてきです。」

このように、ちひろの絵の根底には、子どもに対する分け隔てのない深い愛情と自らの子育て体験に基づく実感があった。

ちひろは1918年の冬、福井県武生町《たけふまち》（現・武生市）に生まれた。父正勝は陸軍に勤める建築技師で、母文江は実科学校の教員であった。ちひろが絵を描くことに最初に関心を持つきっかけとなったのは、文学青年で、絵を画くのも好きであった正勝の影響が大きかったようである。ちひろは後年、「馬と鯉の滝登りの絵は、女学生になってもかなわなかった」と語っていたという。小学生の頃のちひろは、友人の話では、休み時間はいつでも赤ちゃんとか少女のような可愛い子の絵を画いていたという。

その後、1931年に母とともに正勝の勤務する東京に引っ越し、文江の勤める高等女学校に入学した。その2年後に、文江の知り合いの紹介で、洋画家の重鎮岡田三郎助の指導を受けることになった。日夜デッサンに励む中で、生来の筋の良さもあったのであろう、3年後の1936年には朱葉会洋画展に出品して入選している。一方、1937年には、女流書家・小田周洋のもとで書を習い、3年後には、文化服装学院で書を教えるまでに上達した。このことは、絵を画く上でも生かされていった。こうした中で、ちひろは画家になりたいという夢を持ち始めた。

しかし、時代はそれを許してくれるような状況ではなかった。この年二・二六事件が起き、軍靴《ぐんか》の響きが東京都内を駆け巡ったのである。1941年には太平洋戦争が始まり、町の表情は一気に戦時色に染まった。自由にのびのびと育ったちひろには、戦時体制下の日本は、息のできないほど恐ろしい時代に思えたという。そんな中で、1944年には女子開拓団の一員として満州に渡った。そこでの生活や「大陸の花嫁」の実態は、ちひろの想像を絶するものであったが、幸い、4か月程で帰国することができた。

戦争が終わった１９４５年の秋、疎開先の母の実家、松本市内で目に入ったポスターに惹かれて日本共産党演説会に行った。その中で初めて、なぜ戦争が起きたのか、そして、戦争に反対して牢に入れられ、さらには殺された日本共産党の人たちがいたことを知り、大きな感動を受けた。これがきっかけとなり、入党した。

１９４６年４月、再び上京して人民新聞の門をたたき、絵を描ける記者として採用された。その縁で、赤松俊子（現、丸木 俊）に師事して、デッサンの勉強に励んだ。力をつける中で、１９４８年には新聞のカット・挿絵、絵雑誌、教科書の仕事など、幅広く手掛けるようになった。

１９５０年1月、ちひろは党員の松本善明からのプロポーズを受けて結婚した。ちひろは当時31歳で7歳半年上であった。２人の出会いは、１９４９年の夏、神田の日本共産党支部会議の席であった。彼は後に衆議院議員となるが、当時は法務委員会担当の議員秘書として、三鷹、松川事件という列車転覆事件容疑者の無罪を勝ち取るために活動していた。ちひろは、人民のために生きようとしているこの誠実な青年に惹かれていく自分の心を止めることが出来なかったという。

二人は結婚に際して次のような誓約書を取り交わしている。

一．人類の進歩のために最後まで固く結びあって闘うこと。
一．健康な生活をすること。
一．お互いの立場を尊重し、特に芸術家としての妻の立場を尊重すること。
一．建設的な財政を実行すること。
一．土曜日に以上のことを点検すること。

夫唱婦随的な風潮が強かった当時において、この誓いは新しい民主的な夫婦像を示したものであり、ちひろが児童画家としての道を歩む上で、大きな支えとなったことであろう。そして、翌1951年には、長男猛が生まれている。

この年、紙芝居「おかあさんのはなし」（教育芝居研究会、1949年）で文部大臣賞を受賞した。さらに、1956年には、絵雑誌等に発表した作品を対象に小学館児童文化賞を受賞するなどの実績を積み重ね、1973年には『ことりのくるひ』（1971年）がボローニア国際児童図書展において、グラフィック賞を受賞し、国際的な評価を高めた。一方で、日本児童出版美術家連盟（童美連）の結成に関わるなど、社会的な活動も行っている。

ちひろの作品は、平和な社会における子どもの姿を描いたものが多い。その中で、『戦火の中のこどもたち』（岩崎書店、１９７３年）は異色である。当時は、日々ベトナムの戦禍が報じられる中で、ちひろの脳裏に、Ｂ29の爆撃を受けた20数年前の思い出がよみがえった。この絵本は、アメリカ軍のベトナム侵略への抗議と平和への願いを込めて、戦場に置かれた子どもたちに思いを馳せながら描いたものであった。それらの作品の中で、特に目を引いたのは、「焔の中の母と子」と題した一幅の絵であった。怒りを含んだ母の目はきっと前を見据えており、こどもは母の腕に抱かれてあどけない表情をしている。それは、平和への願いを込めた力強いメッセージであった。

この頃は、既に身体は癌に冒されており、入退院を繰り返す中での制作は、１年以上の歳月を要した。翌年の１９７４年8月8日、ちひろは闘病生活の末に永遠の眠りについた。まだ55歳という若さであった。

現在、子どもの幸せと平和を願い続けたちひろの業績を記念し、文化の民主的多面的発展に寄与する活動をおこなうことを目的として、「公益財団法人 いわさきちひろ記念事業団」が、ちひろ美術館での展示活動をはじめとした多面的な活動を行っている。代表理事は映画監督の山田洋次、ちひろ美術館長は黒柳徹子である。

今後、多くの子どもたちがちひろの絵に接する中で、豊かな情操と平和を願う心を育むことを願うものである。

【引用文献】　松本 猛・松本由理子『ちひろの世界』講談社、１９９１年３月
（２０２０年９月）

苦難の歴史を経て我が国に根を下ろした陶工　沈 壽官

『竜馬がゆく』などの歴史小説家として良く知られている司馬遼太郎の作品に、鹿児島県の陶芸家、第14代沈 壽官（１９２６年～）の評伝と沈家の歴史を綴った表題の短編がある。

沈 壽官の祖先は、韓国全羅北道南原城《なもんじょう》からやってきた。豊臣秀吉による朝鮮への侵攻、慶長の役（１５９７～９８年）の際に、沈氏の祖先をはじめ、朴氏など17氏70人ほどの男女が島津の軍勢につかまったのである。司馬遼太郎は、その目的について、陶磁の職人たちを連れ帰って、当時ヨーロッパに珍重された茶器をつくらせようとしたのではないかと推測している。

秀吉の死に伴い撤退を余儀なくされた日本軍は、途中、李 舜臣らの率いる韓・明水軍に遭遇し、戦って大敗した。この困難の中で、陶工たちを乗せた船は島津義弘の船団から離

れ離れになり、なんとか、薩摩の西部、串木野の漁村に流れついたという。そこから、居住地を探して、苦労の末にたどりついたところが、苗代川であった。その辺りは、どこか南原の城外に似ており、しかも、幸い荒蕪の地で、誰も住んでいなかった。

そこに住み着いて3年ほど経過すると、彼らのことがようやく藩主島津義弘の耳に達した。そこで、藩役人が赴いて、「者ども、すべて鹿児島城下に居住せよ。屋敷もあたえ、保護も加える」という上旨を伝えた。しかし、長老は村を代表して固辞をした。藩役人が「上意であるぞ」と脅したけれども、従おうとしない。その理由として述べたのは、鹿児島城下には、島津勢が南原城に来攻した際に、寝返り、道案内などをした「裏切り者」が住まっていることであった。そして、もう一つの理由は、この地の景勝が故郷の故山に似ていることであった。この報告を受けた義弘は、意外にも立腹しなかった。それどころか、彼らを「朝鮮筋目の者」として武士同様に礼遇し、苗代川の土地と屋敷及び扶持を与えたのである。

こうして、彼らの活発な作陶活動がはじまった。まず、陶土や釉薬の石を探さなければならなかった。とはいえ、容易にみつからなかったが、島津義弘が地理に明るい家臣を韓人たちにつけて探索させた結果、ついに朝鮮本来の白焼を作り出す白土と釉薬にするための椨木を発見することができたのである。

彼らの存在を今日まで伝えたのは、白薩摩や黒薩摩と呼ばれる製陶の美しさである。この中で、白こそが李朝の個性を表現する色であるという。島津藩は、島津家御用以外に白薩摩を禁じ、黒薩摩だけを一般需要のために許した。また、黒薩摩であっても、御前黒については御用以外に焼くことを禁じた。こうして、巨万の富をかけても入手できない希少価値がいやが上にも高まったのである。

それ以前には、薩摩の焼き物は古墳時代から少しの進歩もなく、「製陶にかけては未開人も同様であった」という。しかし、「薩摩はかって武勇で知られた。今は焼き物で知られている」という賞賛を得るようになったのである。

沈氏は１９７４年11月、ソウル、釜山、高麗の３大学の美術、美術史関係の研究者に招かれて渡韓した。その際、にわかに朴大統領にも会いたくなり、その旨日本の代表部に頼んだ。参事官からは、「とても無理です」と一旦は断られたが、結局会うことができた。日本人として単独会見が許されることは稀有なことであった。大統領は南原城での攻防戦について地図を広げながら語ってくださり、さらに、晩餐の馳走になった。その後、沈氏発祥の地青松を訪ねると、沈姓の人々が多数出迎えてくださった。官房長官から予め連絡を受けたという。沈氏はここで里帰りした親戚同様の待遇でもてなしを受けた。

このように、沈 寿官は、陶芸家として内外に高く評価されるようになったが、少年の頃に大変苦い経験をしている。地元の苗代川小学校を出て鹿児島市内にある旧制2中に入学した際のことである。入学早々、数人の上級の生徒が教室に入ってきて、「このクラスに朝鮮人が居っとじゃろ。手をあげい」とわめいた。しかし、沈少年は名乗らなかった。というのは、これまで、日本人の一村民として過ごしてきて、本人もそう思い込んでいたからである。

が、不幸なことは、苗代川住民を擁護し礼遇した薩摩藩はすでに遠い過去に消滅してしまっていることであった。そして当時は、鹿児島市内でも苗代川のことを知る者は少なくなっていた。上級生たちもそのことを知っているはずがなく、ただ新入生名簿によって韓姓の少年がいることを知っただけである。沈少年が名乗らなかったということで、上級生たちは激昂した。沈少年に対して、「精神を注入してやる」、と吼え、教室の外に連れ出して屋上へ連れて行き、10人ほどが寄ってたかって殴った。ついには倒されて後頭部を打ち、気を失った。やがて目覚めると、買ったばかりの制服が鼻血で血まみれになっていた。

帰宅した沈少年から話を聴いた父親は、慰めの言葉をかけるとともに、「一番になるほかなか、けんかも、勉強も一番になれナ。そうすれば人は別な目で見る。いじければ、むこうからかさにかかってくる。撥ねかえすほかなか」と言ったという。父による励ましを受けて、その後勉学に励むとともに、けんかも、中学3年生の頃には同学年の誰よりも強くなったという。

以上、本書の内容の一部を紹介した。ここで、改めて指摘しておきたいのは、江戸時代までは、朝鮮出身者を差別するどころか、沈家の例が示すように、藩から武士階級の一員として厚遇されたケースもあったことである。不当な差別が生じ、ないしは拡がったのは、日本が近代社会に踏み出した明治以降のことである。我が国が朝鮮や中国に対する植民地支配を強める中で、国民の間に子供の頃から差別意識が植え付けられていった。その結果、1923（大正12）年の関東大震災では、「朝鮮人が井戸に毒を投げ込んだ」などのうわさが広められ、軍隊、警察や在郷軍人などによって結成された自警団によって、数千人の朝鮮人、数百人の中国人が虐殺されるといういまわしい事件まで起きてしまった。

沈少年が上級生から不当なリンチを受けたのには、このような時代背景があったのである。

【引用文献】　司馬遼太郎『故郷忘じがたく候』文春文庫、2004年10月

（2021年7月）

第二章　近年の政治・社会の動向と課題

「平成」から受け継いだ「共生社会」実現の課題

日本社会は、この5月から元号が「令和」に変わった。しかし、それは社会の大きな変化を示すという意味での「時代の変化」であろうか。例えば、「平成」から受け継いだ重要な課題の一つとして、「共生社会」の実現をあげることができる。

この課題を分かりやすい形で示したのが、昨年11月6日に投票が行われたアメリカの上院と下院の中間選挙であった。選挙の結果、「人種や宗教、政治的信条の違いによって分断されたアメリカ社会の亀裂の深さを露呈した」との報道が目についた。しかし実際には、民主党が共和党から下院の議席を奪還し多数派を占めたことにより、国民の間に分断を持ち込もうとするトランプ政権に対して、これに反対して国民の連帯を広めようとする動きが強まったのである。その中には、パレスチナ系のイスラム教徒、先住民の出身者、同性愛者を公言する人、あるいは2016年の大統領予備選挙で善戦したサンダース上院議員が掲げた民主的社会主義者を名乗る人が当選するなどの新しい動きが見られた。

我が国においても同様の動きが広がりつつある。例えば、今世紀に入って在日コリアンの排斥を訴えるヘイトスピーチが右派系市民団体のデモ・街宣活動で頻繁に行われるようになり、深刻な社会問題になった。このような動きに対する世論の批判を受けて、いわゆる「ヘイトスピーチ対策法」（正式名称は「本邦外出身者に対する不当な差別的言動の解消に向けた取組の推進に関する法律」）が２０１６年６月に施行された。この法律は、禁止・罰則規定が無いなど、不十分な内容であるが、差別的言動の解消に向けた取り組みの推進を国・自治体に促すなど、社会の分断の解消に向けた方向を示すものとなった。

このような動向が示唆することは、社会の中に分断を持ち込もうとする動きを過大に評価して、現状を「分断社会」とみなすことは間違いであるということである。現実に起こっていることは、人種の違いや経済的格差などによる差別意識や偏見を助長することにより、国民の中に分断と対立を持ち込もうとする勢力と、国民が相互に人権を尊重し合う「共生社会」を目指す勢力との対立であり、その中で後者の潮流が強まり、大きな影響力を発揮しつつあるということである。

以上の例が示ように、改元は社会の大きな変化を示す節目ではない。それにもかかわらず、主要メディアは、「平成の時代」から「令和の時代」へと、あたかも大きな変化がなされたかのように、大々的に報じたのである。しかも、テレビ報道は長時間にわたって「祝賀報道」一色に塗りつぶされ、まるで政府による電波ジャックに遭ったかのようであった。それだけに、我々国民には、憲法の主権在民の精神を生かして、報道のあり方を正すことを含めて、象徴天皇制を実質的なものにするための取り組みを強めることが求められていると思われる。

その意味で、平成の代における天皇、皇后ご夫妻は、被災者に寄り添い、戦没者の霊を弔う旅をなさるなど、立派なお手本を示してくださった。新天皇、皇后ご夫妻には、他国民との共生と世界平和のために、これまで培って来られた国際的な知見を生かしてくださることを期待している。

（2019年6月）

主権者としての資質・能力を身につけるために

2019年7月21日に実施された参議院選挙の結果、自民党は改選比で9議席を減らして単独過半数を割るとともに、自民、公明、維新などの改憲勢力の議席が3分の2を割った。一方で、立憲、民主、共産などの野党は、市民連合との共闘により、10の1人区で議席を確保し、全体として議席を伸ばした。このことは、安倍政権に対する批判の高まりの表れであるとともに、安倍政権の下での憲法改定、特に9条改憲に反対する民意の表れであると評価することができる。

このような前進が見られた半面、気になったことの一つは、投票率が全世代平均で48・80％と50％を割ったこと、中でも、18歳と19歳は31．33％（総務省速報値）と、最も低いことであった。

若い世代はこれからの国家社会の担い手であり、主権者としての資質・能力を身につけることは、非常に重要である。このことが、進んで選挙権を行使することにもつながるであろう。しかし、現実には、投票率が低いことや保守化傾向が見られることは、危惧すべきことである。主な原因として、政府・文部科学省（以下、「文科省」とする）が、主権者教育への介入や規制によって、主権者として求められる資質・能力の形成を妨げて来たことがあげられる。

２０１５年の参議院選挙より、18歳からの選挙権が実現した。これを契機に、政府は主権者教育を重視し、文科省を通じて、教育内容や教員の指導への介入や規制を強めてきた。

政府・文科省による主権者教育への規制・介入について

例えば、文科省は初等中等教育局長名で、２０１５年10月29日に都道府県・指定都市教育委員会教育長及び知事宛に、高等学校等における政治的教養の教育と生徒の政治的活動等についての通知をしている。その中で、「指導上の留意事項」として、教員は指導に当たって個人的な主義主張を述べることは避け、公正かつ中立な立場で生徒を指導することを指示している。

「公正かつ中立な立場」という表現はもっともらしいが、問題はその中身である。例えば、文科省は教科書検定基準改正の告示（２０１４年１月）の中で「閣議決定その他の方法により示された政府の統一的見解又は最高裁判所の判例」に基づいた記述をすることを求めている。これによると、例えば、２０１４年７月１日に閣議決定された「集団的自衛権の行使容認」、つまり、海外でのアメリカの戦争に自衛隊が参戦することは、正しいと教えることを求めるものである。一方で、この決定は憲法９条に違反するとして反対する見解については、無視するか誤りであると教えることを求めるものである。これでは、教師による「公正かつ中立な立場」での指導は成り立たないのである。

これに対して、本来の主権者教育は、このような政府・文科省による教育内容への介入・支配を排して、自由な雰囲気の下で、青少年の率直な意見交換を行いつつ判断力の形成を図るべきものである。その意味で、論争的なテーマについての教育のあり方についての、教育学者の子安潤氏の見解が参考になる。子安氏は、イギリスのクリック・レポート（1998年に公表されたバーナード・クリックを委員長とする報告書）などの欧米の取り組みを参考にしながら、①論争点を取り上げること、②多様な見地とそれを支える情報を提供すること、③一方の見地へと誘導しないこと、④意見交換を行うこと、⑤判断を子ども自身に委ねることという5つの基本原則を示している。このように、子どもの自主的かつ理性的な判断力の形成を促すことこそが、主権者教育においては求められているのである。

高校生の校内・校外の政治的活動について

また、文科省局長通知では、高校生の校内での政治的活動について、「政治的中立性の確保」の観点から制約し、選挙運動や政治的活動を禁止するなど、大きな制限を設けた。一方で、放課後や休日等における校外の政治的活動（選挙運動や政治的活動）についても、違法なもの、暴力的なものなどと高校等が判断した場合には制限又は禁止することを求めた。

しかし、高校生も主権者である以上、学校の内外を問わず政治活動を行う権利を有している。そして、民主的な政治活動は有意義な政治学習の機会でもある。ちなみに、1989年11月に国連総会で採択された「子どもの権利条約」では、子ども（18歳以下）の意見表明権、表現の自由、思想、良心、信教の自由とともに、第15条で結社及び集会の自由を規定している。日本は1994年9月にこの条約に批准しており、条約に即した政策を実施する義務を負っているのである。その意味で、政府・文科省が前述のような規制を行うことは、子どもの権利条約に反した、不当な教育への介入というべきである。また、学校の管理者としての校長が、校外の政治的活動に対して制限や禁止をすることは越権行為であり、文科省がこのような指示をすることは筋違いである。

以上の例が示すように、政府・文科省が進める教育政策は、「主権者教育」の名に値しないばかりか、国家権力に従順な国民の育成を目指すものである。これにより、教科書や学習指導要領の内容が政府の意向に沿ってゆがめられ、また、教師に対する縛りとなり、青少年が主権者として必要な資質・能力を身につけることを妨げてきたのである。このことが、現状の生活に不満や不安があっても、政治に対してあまり期待をせず、投票に行かない、多くの「政治的無関心層」を生み出す主な要因の一つとなっていると思われる。

今後は、政府・文科省による教育内容への不当な介入や規制を無くして、憲法に立脚した教育を行うことが求められている。それとともに、例えば、地域住民が学校や行政等と連携しつつ、青少年の社会参画を促進することである。その中で、障害者支援、環境保護、国際交流などの課題に大人とともに取り組み、性別、障害の有無、人種などによって差別をせず、お互いの人格や人権を尊重し合うような気風を培っていくことである。このことが、大人になってから、平和で民主的な国家・社会の形成者として行動し、選挙に際しても進んで清き一票を投じることにつながるであろう。

（2019年9月）

科学的精神を養う意義
――バートランド・ラッセルの提言が示唆すること

『幸福論』及び『教育論』の著者として知られているイギリスの著名な哲学者、バートランド・ラッセル（1872〜1970）については、2019年のエッセイ「アインシュタインの〝遺言〟」の中で、核兵器廃絶のための科学者運動の先駆者として紹介した。ここでは、ラッセルの『教育論』から示唆を得ながら、青少年期に科学的精神を養う意義について考えて見たい。

ラッセルは、「最後の数学年」（15歳以降）の中で、「この世界にあって、批判的な精神の習慣は、はかり知れないほど重要である」として、批判的な精神を養う意義を強調し、その理由について次のように述べている。

「対立する宣伝家たちが絶えず私たちに向かって嘘を言いふらしては、私たちに毒薬を飲ませようとしたり、互いに毒ガスで殺し合うように誘い合っている世界にあっては、こういう批判的な精神の習慣は、はかり知れないほど重要である。目の前で断定を繰り返されるとすぐ信じ込んでしまうのは、現代世界の悪弊の一つである。だから学校は、それを防ぐために、精いっぱいの努力をしなければならない。」

ラッセルが指摘するような宣伝は、核武装や「核の傘」を正当化しようとする今日の「宣伝家」たちの主張に引き継がれているのである。

さらにラッセルは、科学的な精神を養う方法について、「現在論争の的になっている、政治や社会や、さらには神学にかかわる重要問題に関心を寄せるように奨励されなければならない。」と述べている。

そして、指導上の留意事項として、「論争の正統的な側だけでなく、あらゆる側の意見を読むように勧められるべきである。」その際、教師は討論を「言葉の上で勝ち負けを争うものとしてではなく、真理を突きとめる手段として学ぶことができる」よう、指導することが求められる。そのため教師は、「強い確信を持っている場合でも、一方の肩を持つことがないようにしなければならない。もしも、大半の生徒が一方の側に立つようであれば、教師は、ただ論争のためにこうするのだと言って、反対の側に立つとよい。」と述べている。

つまり、論争の的になっている見解について、一方の言い分だけに耳を傾けるのでなく、両者の主張について理解した上で、正否を判断する力を身に着ける必要があるとみなしているのである。付言するならば、その際、両者の主張の根拠についてしっかりと吟味することが、正しい判断を導く力となるであろう。

この問題で思い出すのは、1990年代の半ばにテレビでよく取り上げられた「ディベート」という討議法である。1995年1月には、阪神淡路大震災が起き、その後、新興宗教のオウム真理教によるサリン事件によって多くの犠牲者が出たことなどが大きな問題となっていた頃であった。テレビでは、当時話題となった政治的に対立する見解などをテーマとして取り上げ、2人の登壇者が論争することを通して、相手を首尾良く言い負かしたと判定された人が勝利者とされた。そこでは、何が真実なのかを論争によって明らかにすることが目的ではなく、すばやい応酬、話の巧みさなどのテクニックが評価されたのである。それは、ラッセルの言う「言葉の上での勝ち負けを争う」ゲームであった。

ラッセルはさらに、学校が批判的な精神を養うために「精一杯の努力」をすることを求めている。では、我が国の学校教育はどうであろうか。

筆者は、既に「主権者としての資質・能力を形成するために」（2019年）において、政府・文部科学省（以下、「文科省」とする）の教育政策について言及した。

その中で、文科省が教科書検定基準改正の告示（2014年1月）において、「閣議決定その他の方法により示された政府の統一的見解又は最高裁判所の判例」に基づいて、教科書の記述をすることを求めていることを指摘した。ということは、例えば、2014年7月1日に閣議決定された「集団的自衛権行使の部分的容認」、つまり、アメリカなどの「我が国と密接な関係がある国」の戦争に（一定の条件の下で）自衛隊が加わり、「実力を行使」することは正しい政策であると教えることを求めるものである。一方で、憲法9条違反であるとして、これに反対する見解については、無視するか誤りであると教えることを求めるものである。これでは、教師による「公正かつ中立な立場」での指導は成り立たないのである。

このような現状において、ラッセルの見解は、青少年が自らの頭で科学的に判断する能力を身につけることの意義と、そのために民主的な教育環境を整備することの重要性を再認識させる力強いメッセージとなっている。

今後は、政府・文科省による教育への不当な支配と教育内容への介入を阻止するとともに、政府・文科省から自立した民主的な教育支援システムを設置することが求められている。

それと相まって、学校教育において科学的精神を養う主権者教育を実施することである。

また、青少年の参画により、学校の教職員と地域住民が連携して、青少年を対象とした講演会・討論会や見学会を実施することも有意義であろう。

【引用文献】『ラッセル教育論』バートランド・ラッセル著、安藤貞雄訳、岩波文庫、１９９０年（なお、原文〈１９２６年発行〉に即して一部改訳した。）

（２０２２年５月）

高校生が政治を動かし、英語民間試験が延期に

去る11月１日、荻生田光一文部科学大臣は、大学入学共通テストへの英語民間試験の導入延期を発表した。

この件については、１回の試験で６千～２万５千円の受験料負担を最大２回まで課すことになり、しかも試験を何度も受けたものほど好成績を得られるなど、家庭の経済力によって差がつくことから、憲法26条の「教育の機会均等」に反する、また試験は都市部での開催が中心になり、地方の受験生は交通費や場合によっては宿泊費もかかる、民間事業者が行う７つの試験は試験内容や採点者が異なり、採点基準や採点者の資格もバラバラであり

公平性に欠けるなど、多くの問題点を有している。

　それにもかかわらず、政府は今国会で採決する方針で臨んだ。しかし、萩生田文科相が民放番組で「身の丈に合わせて頑張ってもらえれば」という差別容認の発言したことにより反対世論がさらに広がり、導入延期を表明せざるを得なくなったのである。

　この問題では、高校生や市民が声をあげ、野党の結束した共闘が政治を動かした。特に、多くの高校生が立ち上がったことが注目される。1週間で4万を超えるネット署名を集めたり、国会前での抗議行動や野党合同ヒアリングで高校生の要望を訴えるなど、積極的に反対する声をあげた。これが、野党による国会での追及や延期法案提出などの原動力になったという（しんぶん赤旗のコラム〈11月3日〉より）。

　これまで政府は、高校生が主権者としての自覚や能力を形成することを妨げるために、文科省による高校への通達等を通じて、高校生の政治活動の規制ないしは禁止を図ってきた。それにも関わらず、高校生は声をあげた。その結果、正しいことを皆と力を合わせて主張すれば、政治を変えられることを学んだことであろう。

　元文部科学省（以下、「文科省」とする）文部科学事務次官の前川喜平氏は、導入延期の発表を受けて、「抗議行動を続けた高校生諸君、これは君たちの勝利である。」というエールを送った（東京新聞〈11月3日〉のコラムより）。皮肉にも、政府自身が、自らの行為によって、高校生に対して有意義な主権者教育の機会を提供することになったのである。

【付記】前川氏は、昨年4月に加計学園の獣医学部新設が国会で問題になった際に、（安倍）「総理のご意向」とする文書が文科省内に存在すると証言したことで知られている。当時、荻生田氏は安倍首相の側近として、官房副長官の職にあり、文書の存在を強く否定した。このような人物が文科大臣に登用され、英語民間試験の実施を強行しようとしたのである。

（2019年11月）

「官僚の本分」とは何か

今年（2020年）8月に『官僚の本分』という本が出版された。これは、防衛省OBの柳澤協二氏と文部科学省OBの前川喜平氏の対談に基づいた本である。お二人は、官僚のトップの立場にあった経験を踏まえて、安倍政治における「政と官」の関係を、「政治主導」というより「全役所の官邸化」であると批判している。

ここでは、本書のテーマである「官僚の本分」とは何かについて、主として前川喜平氏（元文部科学事務次官）の発言に即して考えてみたい。なお、柳澤氏の見解については、後掲の「『一発も撃たなかった』ことの意義」で紹介する。

本書では、「森友学園問題」で自殺した財務省近畿財務局の赤木俊夫さんについて語っている。赤木さんは、国有地が8億円余り値引きして森友学園に売却された決裁文書の改ざんを強要され、それを苦にして自殺したのである。当初の決裁文書には、財務省が土地を売却する経緯を記した中に、安倍首相（当時）の明恵夫人らの関与が疑われかねない記述が含まれていたという。

前川氏は、赤木さんのことを、「組織の使命と自分の使命が一体化していた人だったのだろう」と評価している。赤木さんは生前、「組織のために仕事をすることは、とりもなおさず国民のために仕事をすることで、私の雇い主は国民です」と述べていたという。憲法15条は、「すべて公務員は、全体の奉仕者であって、一部の奉仕者ではない」と規定している。ここでいう「全体」とは、「国民全体」を指している。赤木さんはこの憲法の精神を自覚して、「国民が雇い主である」という分かりやすい言葉で表現したのである。

なお、憲法99条は、「公務員の憲法擁護義務」を規定しており、主権在民、基本的人権の擁護、平和主義という憲法の基本理念を実現する責務を負っている。したがって、政治家も憲法に則った行為が求められているのである。

しかし、行政職員の中で、このことを自覚している人は、どれくらいおられるだろうか。森友学園の問題が示すように、本来国民の求めに応じて公表されるべき決裁文書が政権の意向に従って隠蔽され、その上改ざんまでされてしまったのである。

このような現状にあって、柳澤氏は、現在の官僚に対して、「おかしいなと思ったら、その問題意識を持ち続けてほしい。」そして、「検証のためのデータをしっかりと蓄積しておいてほしい。」今逆らえないとすれば、「あとでいいからこの間の検証を責任をもってやってほしい。」と述べている。前川氏もこの発言に同意している。前川氏自身は、現役時代には「面従腹背」、つまり、「やむを得ず表向きは従っても、自分の信念は変えない」という姿勢を貫いてきたという。

第2次安倍政権になって、政権にひたすら服従する人物を各省庁の事務次官や局長といった幹部ポストに登用するようなった。官邸の言いなりになれば、自分たちの保身も図れるし、出世もできる。退職後には「天下り」のポストも保証される。前川氏は、こういう幹部を「なんでも官邸団」と呼び、「今の幹部には期待できないと思うが、役人の中にはそうでない人も沢山いる。若い方にも頑張ってほしい」と述べている。

しかし、若い人たちは「ものすごく疲弊している」という。その理由は、不祥事を言いつくろうような国会の答弁を毎晩、毎晩書かされている。しかも、野党は追及のために課題ごとにチームをつくるから、そこにも呼び出されて詰問されている。答弁の内容も、「ほとんど答えになっていない内容を、壊れたレコードみたいに繰り返しているだけで、本当に痛々しい」と。

このような若い人達に対して、前川氏は、公務員としての本来の使命をしっかりと胸に収めて、「とにかく、まず生き延びてほしい。魂を売らずに、自分の魂を持っていてほしい」、「やむを得ず、一時的に貸すことはあっても、貸した魂は必ず取り返せ」と言っていたという。こうした状況の中で、柳澤氏は、「官僚という仕事が魅力のない仕事になってきて、大学生の中でも、官僚になりたいという人が減ってきている」「国家公務員試験も、本当に優秀な人が志望しなくなってきている」という。

最後に前川氏は、「国民にはもう少し賢くなってほしい」「賢明な国民は賢明な政府が持てるけれど、愚かな国民は愚かな政府しか持てないと思う」と述べている。そして、現在の新型コロナウイルスの問題は、国民が賢くなる一つのきっかけになるかも知れないと期待を表明している。

本書を通して、政権の意向に無理やり従わせられている官僚の、良心の訴えに接することができた。前川氏の指摘のように、国民が新型コロナウイルスの問題に向き合う中で、政治の在り方を見直し、正していくことが、「愚かな政府」に変えて「賢明な政府」を実現する上でも大きな力になると思われる。

【引用文献】 柳澤協二・前川喜平『官僚の本分―事務次官の乱の行方―』かもがわ出版、2020年8月

（2020年11月）

生活実感に即して『高齢社会白書』を読む

2021（令和3）年度版『高齢社会白書』（内閣府発行）は、第1章の「高齢者の暮らしの動向」の中で、内閣府が2020（令和2）年度に60歳以上の人に対して行った「高齢者の生活と意識に関する国際比較調査」を取り上げている。調査対象の国は、日本の他、アメリカ、ドイツ、スウェーデンである。

これによると、我が国において、経済的な意味で日々の暮らしについて、「困っていない」と感じる人は、63.6％（内訳は、「困っていない」31.0％、「あまり困っていない」32.6％）である。これに対して、「困っている」と感じる人は、33.8％（内訳は、「困っている」8.5％、「少し困っている」25.3％）である。

では、この結果をどう評価すべきであろうか。言い換えれば、どこに注目すべきであろうか。白書のコメントは、回答数が一番多い「困っていない」人に注目して、その割合のみを取り上げている。しかし、この白書の発行者は内閣府である。高齢者福祉の充実を図るという政府の重要な任務に照らせば、むしろ3人に1人もの人が「困っている」ことにこそ目を向けるべきであろう。

白書はさらに、経済的な暮らしや就労意識等についても、調査結果を表にまとめている。以下、この中から主な特徴を解説しよう。60歳以上の人の主な収入源は、年金が70.5％であり、多くの高齢者にとって年金が主要な生活の支えとなっていることが示されている。次いで、仕事による収入が20.8％であり、年金と合わせると、高齢者の約9割（91.3％）を占めている。

次に、就業意識については、約4割（40.2％）の人が、「今後、収入を伴う仕事をしたい（続けたい）」と答えている。ちなみに、調査対象の外国は、いずれも20％台の後半であり、日本より就労希望者の割合が少ない。

では、就労（の継続）を希望する理由は何か。特に多いのは、「収入が欲しいから」（51.0％）である。このことは、高齢期を迎えても、収入を得るために働かざるを得ない人が少なくないことを示している。ちなみに、調査対象の3国は、ドイツは35.5％、アメリカは32.2％、スウェーデンは25.1％であり、日本は際立って希望する人が多い。次いで、「働くのは体に良いから」（23.1％）、「仕事そのものが面白い、自分の活力になるから」（15.8％）、「仕事を通じて友人や仲間を得ることができるから」（6.9％）などの健康、生きがい、仲間づくりに関する理由である。

なお、経済的な暮らし及び就労意識については、年齢（層）別のデータが示されていない。しかし、高齢者の場合、年齢により生活状況や生活意識が大きく異なっている。これに対応した政策の推進が求められており、提示すべきであると考える。

以上、白書の「第1章　高齢化の状況」の中から、経済的な状況や高齢者の意識の捉え方に関して解説した。

白書は、第2章以下で政府の高齢社会対策を紹介している。ここでは、「高齢社会対策の基本的枠組み」の中で、高齢社会対策基本法を定め、内閣総理大臣を会長とし、関係閣僚を委員とする高齢社会対策会議を設置し、高齢社会対策大綱を定めていることと、これに則った高齢社会対策予算や「総合的な推進のための取組」などが紹介されている。

これらを一見したところ、政府は積極的に施策を講じているという印象を抱く人が少なくないかもしれない。しかし、政策の中身には、高齢者の生存権（憲法25条）を保障するという姿勢が見られない。むしろ、「税と社会保障の一体改革」「持続可能な公的年金制度の構築」等の名目で、国民が高齢者福祉の現状に不満をもっていても、やむをえないとみなして、受け入れることを求めている。

こうした思惑が働いているため、白書の中では、年金、生活保護、介護、医療など、社会保障に関わる政策の実施状況や問題点、課題が非常に見えにくくなっているのである。このことは、第1章における現状分析のゆがみとも密接に関係していると思われる。

（2021年11月）

政治献金のあるべき姿について考える

江戸時代中期に流行した次の狂歌については、ご存じの方が多いであろう。

白河の清きに魚のすみかねて　もとの濁りの田沼こひしき

ここでいう「白河」とは江戸時代の白河藩主であった松平定信を、「魚」とは庶民を、「田沼」とは徳川家治の下で1767（明和4）年に側用人に取り立てられた老中・田沼意次を指している。これに対して、松平定信が1787（天明7）年に徳川家斉の下で老中筆頭に取り立てられて行った政治は、賄賂を許さないなど、清廉なものであった。しかし、厳しい風俗の取り締まりや出版統制を行ったことに対して、庶民が反発した。そして、その気持ちを賄賂が横行したけれども自由であった田沼意次の時代が恋しいと表現することによって示したのである。

このように、後の世代の人々にも語り継がれるほどに、田沼意次の下で賄賂が横行していたのであろう。
ちなみに、次の狂歌も良く知られている。

泰平の眠りを覚ます上喜撰　たった四杯で夜も眠れず

これは、江戸時代末期の1853年、アメリカの使節ペリーを乗せた艦隊の来航という当時の大事件を詠ったものである。「蒸気船」と銘茶「上喜撰《しょうきせん》」を、そして4隻の船と4杯《しはい》のお茶をかけるなど、この狂歌もしゃれたつくりとなっている。

以上、狂歌の話がやや長くなってしまった。今日の我が国の政治を見ると、政党・政治団体に対する企業や団体からの献金がまかり通っている。例えば、自由民主党にとっては企業からの献金が、野党の立憲民主党や国民民主党にとっては労働組合（連合）からの献金が重要な資金源となっている。献金する側は、その見返りとして特別に便宜を図ってもらうことを期待しているのであり、賄賂性を有している。田沼時代とは違った形であるが、今日の政界においても、賄賂政治が横行しているのである。

では、政治献金に対する法律上の規制はどうなっているのであろうか。

刑法では賄賂罪（贈収賄罪）を設けて賄賂を規制している。しかし、賄賂の要件を政治家や官僚個人に対する贈収賄行為に限定しており、政治団体等に対する献金については規制の対象とされていない。しかし、これでは企業や団体から献金を受けた政党が、この献金を選挙運動等に活用しても、また、「政治団体等」に所属する政治家にこの献金を配分しても、法律違反ではないという口実でまかり通ってしまう。

この結果、政府与党が、献金を受けた企業・団体を支援する事業を実施したり、あるいは、企業・団体に対する規制緩和や制裁免除を行うといった、政治的不正行為を助長する結果を招いているのである。また、労働組合の献金に依存する野党の場合も、原子力発電所の再稼働の問題に示されるように、関係する労働組合の要求によって主要な政策が左右されるという結果を招いている。

なお、ここで付言するならば、選挙で獲得した議席数に応じて政党が国費を分け取りする政党助成金も問題である。国費は本来、国民の福祉や生活向上などのために支出されるべきである。この意味で、この制度は国費の使い道として間違っており、廃止すべきである。

政党は本来、その政党を支持する国民による個人献金に依拠するなど、健全な財政基盤の確立を目指すとともに、主権者である国民の立場に立った政治を行うべきである。なお、日本共産党は企業・団体による政治献金に反対するとともに、政党助成金に反対して受け取りを拒否している。これは潔い態度であり、この点は他の政党にも是非とも見習っていただきたい。

「人民の、人民による、人民のための政治」(Government of the people by the people for the people)

これは、アメリカの第16代大統領、エイブラハム・リンカーンが１８６３年にゲティスバーグ国立戦没者墓地開所式で行った演説の中の有名な言葉である。今こそ、政治家はこの精神に立ち返るべきであろう。

（２０２３年１月）

『メディア支配――その歴史と構造』を読む

本書は、長年メディア関係の仕事や研究に携わってきた松田 浩氏が、戦後の国家権力によるメディア支配をめざす動きとメディア側の対応について歴史的に分析し、今後の課題を提示している。メディアの関係者だけでなく、日々メディアに接している我々国民にとっても、国民の立場に立ったメディアを擁護し、回復していくためにはどうすべきかを考える上で、有意義な処方箋となっている。

まず、プロローグで、官邸によるテレビ監視の実態を、しんぶん赤旗2020年10月22日の記事「官邸のTV監視ここまで」を引用しながら紹介している。

これによると、赤旗の情報開示請求により、「報道番組の概要」と「新型コロナウイルス関連」の今年3月前半分のA4700枚に及ぶ文書を入手。その中には、特定の番組のキャスターやコメンテーター、アナウンサーの発言内容が詳しく記録されていたという。しかも、政府の政策に批判的な論評をする人物に的を絞っていたという。

これまでは、政権によるNHK経営委員会・理事会への人事介入やキャスター等への人事介入の問題、そして、これらを通した政権寄りの報道内容の問題が取りざたされることが多かった。しかし、今や監視の目が民放にまで広く及び、特定の人物の発言内容等が詳細にあぶりだされるところまで事態が進んでいるのである。これを容認すると、そうした人物をメディアから排除する圧力へとつながっていくであろう。

以下、本書の中から、2つのテーマについて紹介する。一つは、現在の自民党一強時代を築くきっかけとなった選挙制度改革＝小選挙区制導入に果たしたメディアの役割についてである。もう一つは、今後、国家権力からのメディアの独立を果たすためには何が求められるかについてである。

小選挙区制導入に果たしたメディアの役割

今日の自民党一強時代を築く上で、小選挙区制の導入が果たした役割が大きい。ご承知のように、小選挙区制の下では、1選挙区当たり1名しか当選できないため、落選者の得票はすべて死票になる。その結果、民意が正しく政治に反映されないという非民主的な制度である。

この制度は、1993年8月に成立した非自民8党派連立の細川護熙内閣の下で導入されたが、その際、メディアが果たした役割が大きかった。このことについて、松田氏は、「小選挙区制とメディアの犯罪」の中で次のように述べている。

とりわけ大きな役割を果たしたのは、財界、連合（日本労働組合総連合会）、マスコミ幹部、第8次選挙制度審議会に参加した学者らで構成する民間政治臨調（政治改革推進協議会）であった。この臨調は、1992年11月に、中選挙区制度は今や「制度疲労の極限に達している」として、「中選挙区制度廃止宣言」を発表した。これをきっかけとして、マスメディアによる一大キャンペーンが開始された。その中で、口裏を合わせたように、当時の中選挙区制に対する「制度疲労論」を唱え、また、「小選挙区制が導入されれば、政治に金がかからなくなる」、自民、非自民の対決による政権交代論などの主張を行った。一方で、さきの総選挙（1993年）で最大の争点と言われた企業・団体献金の廃止については、口をつぐんだのである。

こうしたキャンペーンが功を奏して、細川内閣の下で、1994年に小選挙区比例代表並立制が導入された。この制度の導入を提言した第8次選挙制度審議会には、当時の日本新聞協会会長、小林与三次《よそじ》読売新聞会長をはじめ、OBを含めたメディア関係者が10名も参加していた。本書は、国家権力からの自立＝政治的中立を求められる主要なメディアの幹部が、政府の意を体した審議会に参画した上、キャンペーンによりお先棒を担いだことを告発している。

小選挙区制の導入は、松田氏が指摘するように、その後の自民党一強時代に道を拓いた。しかし、自民党の思惑に反して、市民と野党の共闘による候補者の一本化による野党勢力の伸長をもたらす契機ともなってしまったのである。とは言え、小選挙区制は、国民の多様な意見・要望を政治に反映することができないといった重要な問題を有しており、いずれは、比例代表制を軸とする民主的な選挙制度に変えることが求められている。

国家権力からのメディアの独立を果たすために

それでは、国家権力からのメディアの独立を果たすためには、何が求められているのだろうか。この点に関して、松田氏は、「生かせなかった『独立行政委員会構想』」の中で、戦後の放送法制の歴史と今後の課題に言及しており、参考になる。

戦後日本の放送法制は、独立行政委員会制度の下で出発した。戦後の放送改革は、アメリカ占領軍の強力なイニシャチブのもと、日本民主化の重要な一環として行われた。今日の放送法制の基本的枠組みをつくった電波三法（電波法、放送法、電波監理委員会設置法）の制定（1950年6月）がそれである。電波三法の最大の特徴は、政府からの放送の独立を制度的に保障するため、アメリカのＦＣＣにならって、独立規制委員会（独立行政委員会）の制度を取り入れたことにあった。

しかし、1951年のサンフランシスコ講和条約とアメリカの占領終結に伴い、導入当初からこの制度に反対していた吉田内閣の下で廃止された。この時から、「国家権力を監視する役割を持つ放送局を国家権力が監督するという矛盾」がはじまった。そして、放送への政治介入が日常化するようになって行った。

電波監理委員会の廃止によってもたらされた最大の変化は、政府が免許を含めて電波・放送の強大な権限を手中に握ったことである。その結果、放送の「自律」を基本にした放送法の解釈が歪められ、放送事業者への威嚇、牽制や行政指導が常態化することにつながった。

しかしながらその後の世界の大勢は、放送・通信行政を政府から切り離し、「独立行政」の仕組みを取り入れる流れとなってきている。例えば、2000年12月の段階で、欧州評議会は加盟国内に放送に関する独立規制機関を置くことを求める勧告を採択し、経済協力開発機構（OECD）加盟国30か国の内、大半の国は「独立行政」制度を確立していた。一方、先進国で独立規制機関をもたないのは、日本とロシアぐらいというのが実態であった。

我が国においても、NHKが1960年代に独立放送行政委員会（電波監理委員会制度）

の復活をめざす動きがあった。それまでは、ＮＨＫの予算、事業計画について、予め政府・与党の承認を得た上で国会審議にかかるという手順であった。つまり、「予算を人質にした政治介入の仕組み」が導入されていた。これに対して、電波監理委員会制度の下では、電波監理委員会がＮＨＫ予算案を審議し、意見をつけて国会に提出するので、その間に政府・与党が政治介入する余地はないという。

しかしながら、法案作りの最終段階において、この制度導入の主張を取り下げる結果となってしまった。松田氏は、その原因について、ＮＨＫ役員全員が制度導入への積極支持でまとまっていたわけではなかったこと、また、ＮＨＫ自身が、「独立行政」の必要性を視聴者・市民に強く訴え、国民的世論をバックにして、放送界一丸となって制度導入を迫るという、言論・報道機関本来の運動スタイルを取ることができなかったことをあげている。

松田氏が指摘するように、今後は、このような課題に対する放送界の関係者の理解を図るとともに、国民的世論の形成が求められている。これにより、民主的な制度導入を支持する政治家が国会の多数派を占めることが可能となるであろう。

※ＦＣＣとは

連邦通信委員会（Federal Communications Commission）の略称。大統領直属のアメリカの独立政府機関。米国のテレビ・ラジオ・電報・電話などの事業の許認可権限をもつ。1934年設立。

【引用文献】 松田 浩『メディア支配』新日本出版社、2021年2月

（2021年5月）

岐路に立つ日本 ――問われるメディアの報道姿勢

はじめに

去る2月6日に日本共産党（以下、「共産党」とする）が党員の松竹伸幸氏に対して除名処分を行った。その主な理由は、松竹氏が記者会見などにより党外で共産党を批判したことであり、これが党員として守るべき規則（「日本共産党規約」）に反していたからである。

ところが、「党員を不当にも除名した」といった批判がインターネットのニュース欄への書き込みなどを通して拡散され、しかも、朝日、毎日という大手の新聞社までもが、社説で共産党を批判したのである。

私は現在、地元で「9条の会」に参加して、憲法9条を守り、生かした平和な社会の実現をめざして、会員とともに学習・地域活動等を行っている。この会には共産党員も参加しており、政治の場面で積極的に取り組んでいただいている。そうした姿を拝見する中で、この問題を見過ごしてはならないと感じた次第である。

時あたかも、政府は憲法9条を無視して、アメリカと一体となって海外の戦争に参加する道を突き進もうとしている。それだけに、こうした動きに対して、憲法9条を守り、生かす立場に立って反対している共産党に打撃を与えることは、政府にとっても〝願っても無いこと〟であろう。

そこで、この機会に共産党が松竹氏を処分した根拠としている日本共産党規約について、共産党のホームページで内容を確認した。すると、以下で紹介するように、松竹氏が「共産党の決定に反する意見」を党外で勝手に公表してはならないという規則を破ったことをはじめとして、党員として果たすべき義務を履行してこなかったことなど、松竹氏の方にこそ問題があったことをつぶさに知ることができたのである。

松崎氏の言動のどこに問題があったのか

・共産党員が有する権利と果たすべき義務の概要（「日本共産党規約」より）

「日本共産党規約」は、第５条で「党員の権利と義務」を別表のように規定している。

これによると、党員が有する権利は、①党の組織や個人に対して、会議で批判する権利、②党内の各機関に対して質問や意見を表明する権利、③党員の処分に関して会議に出席して意見を述べる権利などである。

一方で、党員の義務として、「党の諸決定を自覚的に実行する」ことを課している（第５項）。その際、「決定に同意できない場合」に

日本共産党規約より

党員の権利と義務について（第５条より抜粋）

注．見出しは筆者が付したものである。

○党内における意見表明権

党の会議で、党のいかなる組織や個人に対しても批判することができる。また、中央委員会にいたるどの機関にたいしても、質問し、意見をのべ、回答をもとめることができる。（第６項）

自分にたいして処分の決定がなされる場合には、その会議に出席し、意見をのべることができる。（第10項）

○党の諸決定を自覚的に実行する義務、決定に反する意見公表の禁止

党の諸決定を自覚的に実行する。決定に同意できない場合は、自分の意見を保留することができる。その場合も、その決定を実行する。党の決定に反する意見を、勝手に発表することはしない。（第５項）

は、「自分の意見を保留する権利」を認めた上で、決定を実行することを求めている。さらに、「決定に反する意見の公表」を禁止している。

このように、共産党は党員に対して様々な場面での意見表明権などを規約によって保証している。しかし、一旦決定したら、党員の「意見保留権」を認めた上で、その決定を実行する義務を課すとともに、「決定に反する意見の公表」を禁止しているのである。

以上、「党員の権利と義務」の内容について解説した。このたび、多くのメディアは共産党の運営体制について独裁的あるいは専制的と決めつけて批判した。しかし、この規約が示すことは、共産党が党員の意見を積極的に汲み上げた上で合意形成に努めるという、まさに民主的な運営を心がけていることである。また、一旦政策を決定したら、党員が力を合わせて実現を目指すことは、政党として当然の姿である。このため、自分の意見が受け入れられなかった党員には、「意見保留権」を認めている。その上で決定を実行することを求めているのである。

・松竹氏の言動の問題点

では、松竹氏の言動は、前述の規約に照らしてどのような問題があったのであろうか。

松竹氏の行為の中で共産党が問題にしていることは、党首公選制という、規約と相いれない主張や日米安保条約の堅持などの共産党の綱領に反する主張を公然と行ったことである。

共産党の規約に基づいて意見を表明するのでなく、「決定に反する意見の公表」という禁止行為を行ったことである。松竹氏が外部で自分の見解を表明して共産党を批判したかったら、この規約に則り、離党した上で行うのが筋であろう。

なお、その後党員の鈴木 元氏が松竹氏と示し合わせて共産党を攻撃する本を出版した。これに対して、共産党が聞き取りを行ったところ、誤りを認めなかったために、3月6日に除名処分となった。

メディアの報道姿勢の問題点と求められる在り方

松竹氏の言動には、以上のように大きな問題がある。それにもかかわらず、松竹氏が党外で記者会見を行うと、多くのメディアがその内容を大きく報じて松竹氏を擁護し、共産党を批判した。その一方で、共産党の見解については、ごく表面的な紹介に止まった。そして、これを契機としてメディアの世界における共産党バッシングと称されるような現象が一斉に広がったのである。

しかし、この現象は共産党による相次ぐ反論、特に志位委員長が2月9日に行った記者会見（会見での一問一答を翌日のしんぶん赤旗に掲載）において、松竹氏の言動が共産党の規約に違反していることをはじめとして、松竹氏の見解に全面的に反論したことを契機として、大きく終息の方向に向かっていった。とは言え、多くのメディアが松竹氏に加担したことは、少なからぬ国民に影響を及ぼしたと思われる。

志位氏は記者会見において、この問題は「結社の自由」という角度から捉えることが求められると述べている。その根拠として、憲法21条には、「言論、出版の自由」とともに、「結社の自由」が明記されていること、これを受けて、1988年12月20日に、「結社の自由」に関する最高裁の判示が出されていることを指摘している。

以下、その内容を要約して紹介しよう。

結社の自由とは、各人に対する政党結成、加入、脱退の自由を保障するとともに、政党に対しては、「高度の自主性と自律性を与えて自主的に組織運営をなしうる自由を保障しなければならない」。他方で、このような政党の性質、目的からすると、政党の存立及び組織の秩序維持のために、党員が「自己の権利や自由に一定の制約があることもまた当然である」

私自身、この最高裁判示については初めて知ることができた。この会見によって、共産党の規約がこの法令に適ったものであり、松竹氏やメディア等による共産党批判が法律違反の行為であることが明らかになった。

ちなみに、朝日新聞の8日付社説は、松竹氏を除名したことについて、「異論を許さぬ強権体質」「国民遠ざける異論封じ」と決めつけるとともに、松竹氏が主張する党員の直接選挙による党首選を行っていないことに対して、「党の特異性を示す」などと非難したという。しかし、共産党は、直接選挙制の導入は、党首に強大な権限を与えることにより、民主的な党運営を妨げる恐れがある、また、党内に派閥をつくることにつながるとして、認めない方針であるという。これは、共通の政策目標実現を目指して党員が結束して取り組むことが求められる政党の在り方として、むしろ健全な姿であろう。なお、毎日新聞の11日付社説も、共産党に対して、朝日新聞と同様の批判をしたのである。

このたびの教訓を踏まえて、メディア、特に大手の報道機関には次のことが求められている。それは、憲法の精神に則り、「結社の自由」の観点から政党の独自性を尊重することである。また、対立する政治的見解について報道する際には、各々の見解とその根拠を示して、国民が正しく判断するための材料を提供することである。そのためには、政府によるメディアへの不当な規制や介入を排して、自主的な運営体制を構築することも求められている。

※付記

メディアの自主的な運営体制構築の課題については、「『メディア支配―その歴史と構造』を読む」の中で紹介したように、世界の大勢は放送・通信行政を政府から切り離し、「独立行政」の仕組みを取り入れる流れとなって来ているのである。

おわりに

はじめに述べたように、政府はアメリカと一体となって海外で戦争をする道を突き進もうとしている。その先に待ち受けているのは、政府・国家権力によるメディアへの統制強化と言論・表現の自由などの国民の基本的人権のはく奪である。このことは、歴史の教訓が示しているところである。戦前において、政府は一貫して侵略戦争に反対した共産党に対して、逮捕・投獄して拷問を加えるなど、激しい弾圧を行った。そして、これと相まって、言論統制を強化するなど支配体制を強めることにより、国民を侵略戦争に動員していったのである。

したがって、このたびのような問題が生じた場合に、国民が「対岸の火事」として眺めていたのでは、事態はますます悪くなっていくであろう。「明日は我が身」とみなして、主権者としての立場から何が正しいかを見極めること、そして、可能な方法で共に声をあげていくことこそが、悪政にストップをかけるとともに、明るい未来を拓く力になるであろう。

第三章　平和を願う人々の足跡、未来への道筋

「こんなことじゃ〜日本は負ける」と口走った祖母

私は長野県安曇野の小さな町で１９４３（昭和18）年に生まれた。我が国がアメリカとの戦争（太平洋戦争）に敗れて終戦を迎えた１９４３（昭和18）より2年ほど前であった。当時は、農村部を中心として3世代家族が多く、しかも戦時中には、兵士の数を増やすためもあって、「産めよ増やせよ」と、国によって多産が奨励されていた。このため、何人もの未成年や未婚の人々が同居する世帯が多かった。我が家もご多分に洩れず、大家族であった。

祖母は、１９３４（昭和９）年に早くも39歳で夫に先立たれ、突然、９人の子供を抱えた一家の大黒柱としての立場に立たされた。当時は夫唱婦随の時代であったから、夫を陰で支えるのが妻の役割であるという道徳律が、世間に罷り通っていた。しかし、もともとしっかり者であり、米穀店の共同経営者でもあった祖母は、この試練にめげずに立ち向かっていったという。そして、長男の私の父が〝父親代わり〟となって祖母を支え、兄弟姉妹が協力してお米の販売や農業、家事などの仕事を手伝ったという。

私は祖母の戦後の姿しか知らないが、本当に働き者であった。それに仕事が早かった。朝早く起きて畑仕事をした後、休む間もなく、庭や道路の掃除をした。それも徹底していて、自宅の前だけでなく、道路をはさんだ遊園地、そして、ご近所の家の前の道路、さらには、60～70メートル先の角を曲がった家の前まで〝出張〟した。針仕事なども手際が良かった。そんな祖母の姿に感銘を受けた私は、時に祖母の仕事を手伝うとともに、学校では人一倍熱心に掃除に取り組んだ。そのお陰で、小学生時代には、級友から「おかみさん」の愛称をいただいたのである。

また、働き者の祖母をいたわりたいという思いから、頼まれると進んで肩たたきや肩もみを行った。世間で良く話題にされていた、嫁と舅の（つまり、私の母との）心の行き違いについても、そんな折に、祖母がふと漏らす愚痴によって実感した。しかし、私は手を休めずにただ黙って聞くだけであった。祖母にとっては、愚痴を聞いてもらうことが心の癒しになっていたと思う。肩たたきが終わると、決まって「われはいい子だ」と言って、小遣いをくださった。もちろん、それが私の目的ではなく、祖母に少しでも喜んでもらえることが嬉しかったのである。

そんな祖母が戦時中の思い出を語ってくださった中で、特に印象に残った話がある。米軍のＢ29による本土爆撃が広がるまでに戦況が悪化する中で、軍部から家庭にある金属製品の供出を命じられ、我が家でも、火鉢まで供出しなければならなくなった。これに対して祖母は、「こんなことじゃ〜、日本は負ける」と口走ったという。これが世間に知られたら、祖母は警察に「しょっぴかれた」であろう。だから当時は内々の話であった。厳しい報道管制を敷いて、帝国陸海軍の大勝利を報道し続ける大本営発表も、もはや祖母の目を欺くことはできなかったのである。

（２０１９年３月）

もし自由になったらアンネがしたかったこと

『アンネの日記』の筆者、アンネ・フランクは、１９２９年6月にドイツのフランクフルトの裕福なドイツ系ユダヤ人家庭の次女に生まれた。１９３３年、ナチスによる迫害を逃れて、一家はオランダのアムステルダムに移住し、１９４２年7月に〝隠れ家〟生活に入った。この時、アンネは13歳になったばかりであった。この生活の中で書き綴った日記が、永遠の青春の記録として、そして平和な社会を願う人々へのメッセージとして、「今も世界中の人びとの胸を打ってやまない」のである。

〝隠れ家〟に身を寄せたのは、アンネの家族を含めて8名のユダヤ人であった。アンネはキティという仮想のお友達と対話をするという形をとりながら、そこでの暮らしを生き生きと記している。ここでは、その一端を紹介したい。

1943年7月16日には、連合軍がシチリアに上陸したとの報に接し、アンネは終戦へのほのかな希望を抱くようになった。そうした中で、23日の日記には、一人一人に「いずれまた外で暮らせるようになったとき、何をしたいか」と尋ねて、その内容を記している。「マルゴーとファン・ダーンおじさんは、何よりも先に湯船に熱いお湯をあふれるほど満たし、半時間以上も浸かっていたいそうです。ファン・ダーンおばさんは、さっそくクリームケーキを食べに行きたい。デュッセルさんは、別れたシャルロッテ、つまりロッチェさんに会いに行くことしか考えていない。ママはおいしいコーヒーが飲みたい。パパはフォスキュイルさんをお見舞いにゆきたい。ペーターは街を歩き、映画を見たい。」などと、一人一人の希望を紹介している。そして最後に、「わたしは、いざそうなったらあんまりうれしくて、なにから始めたらいいかわからないでしょう。でもやっぱり、いちばんの希望は、わたしたち自身の家を持つこと。自由に行動できること。そして最後に、もう一度わたしの勉強を手助けしてくれるだれかがほしい――言いかえればまた学校へ行きたい!」と記している。

アンネの豊かな感受性と心の美しさを端的に示すパッセージである。いずれの人の願いも、以前の平凡な日常生活において当たり前のように享受していた、ささやかな幸せであったであろう。しかし、それすらも叶えられなくなってしまったのである。

それから約1年後の1944年8月4日、ついにナチス親衛隊と秘密警察が〝隠れ家〟に踏み込んだ。逮捕されたアンネは、強制収容所で悲惨な最期を遂げることになる。しかし、アンネの日記は、〝隠れ家〟の階下の事務所従業員が見つけて保管し、戦後に、ただ一人生き残ったアンネの父親に渡されたことにより、幸いにも世に出ることができた。

アンネたちの悲劇は、ナチスによるユダヤ人に対するホロコースト（大虐殺）政策によってもたらされた。それは、国民の間に人種や民族による差別意識を植え付けることにより、国民を分断させて支配しようとする政治手法であった。

我が国においても、1923（大正12）年9月の関東大震災の際に、「朝鮮人による暴動・放火・略奪」などの流言蜚語が広がり、各地の自警団によって約6千人もの朝鮮人が虐殺されたという。このような差別意識は、今日も一部の国民の中に受け継がれて、排外主義団体によるヘイト・スピーチなどが行われている。アメリカでも、新型コロナウイルスの感染拡大以降、アジア系の人に対するヘイト・クライム（人種的偏見に基づく犯罪）が急増しているという。その中で、日本人も含めたアジア系の人が、「国へ帰れ」「殺す」などと暴言を浴びせられる事件が相次いでいる。人権団体は、トランプ大統領が新型コロナウイルスを「中国ウイルス」と表現したことなどが関係していると指摘している。

このような動きや政策に反対し、差別を受けている人種・民族や生活困難を抱える人々に思いを馳せて、差別や社会的不平等の無い共生社会を築くために、すべての国の国民が力を合わせることが求められている。

コロナウイルスが蔓延する中で、国民が不自由を強いられ、特に「社会的弱者」が大きな被害を受けるという状況であるだけに、アンネの日記は一層強く心に響くのである。

【引用文献】アンネ・フランク『アンネの日記』（増補新訂版）深町眞理子訳、文春文庫、２００３年４月
（２０２０年７月）

アインシュタインの〝遺言〟

20世紀後半に核兵器廃絶のための先駆的な科学者運動を主導したイギリスの著名な哲学者、バートランド・ラッセル（1872〜1970年）については、今日では、『幸福論』及び『教育論』の著者として知られている。

ラッセルが世界平和のための活動を始めたきっかけは、1954年にアメリカがビキニ環礁で行った水爆実験であった。この実験により、静岡県焼津のマグロ漁船「第五福竜丸」の乗組員が被爆したのである。当時は、東西（アメリカとソ連）両陣営の対立により、核開発競争が加速していた。ラッセルは、核兵器という大量破壊兵器の発達が人類という生物の種を絶滅させる危機であるととらえ、核兵器の廃絶のための運動に取り組んだ。そして、1955年7月に、世界に向かってラッセル＝アインシュタイン宣言を公表した。その中で、「もし、核兵器の廃絶ができるなら、道は新しい楽園に向かって開けている。もしできないなら、あなた方の前には全面的な死の危険が横たわっている。」と訴えている。

この宣言は、相対性理論で有名なアインシュタインとの連名により、また、湯川秀樹を含む世界の著名な学者8人の署名を得て公表されたことにより、当時の世界に大きなインパクトを及ぼしたという。

この宣言を作成するに当たり、ラッセルは、交友のあったアインシュタインに手紙を書いて相談したところ、ラッセルの考えを支持すること、しかし、健康がすぐれないために役に立つことができないので、声明書を作成してほしいとの回答をいただいた。こうして宣言が作成され、アインシュタインの同意を得ることができたが、公表の前にアインシュタインは逝去し、宣言は〝遺言〟となったのである。

この宣言に対して、世界の多くの科学者が賛同した。ラッセルはさらに、核兵器と戦争廃絶のための科学者の国際組織として「科学と国際問題に関する会議」(Conference on Science and World Affairs)を設立し、議長に就任した。第1回会議は、1957年7月にカナダのパグウォッシュで開催され、以後、パグウォッシュ会議と称された。この会議には、東西各国から22名が参加、日本からは、ノーベル賞受章者の湯川秀樹、朝永振一郎と小川岩男の3名が参加した。しかし、第2回以降は東西冷戦の影響を受けて、核兵器廃絶を訴えるラッセルらと、核兵器の保有が戦争を抑止する力となるという「核抑止論」を唱える科学者との対立が表面化した。

そのような曲折を経ながらも、広島・長崎の被爆者を中心とする原水爆禁止運動と相呼応して、核兵器廃絶のための科学者の運動が続けられてきた。そして現在、核兵器禁止条約の締結を目指す力強い国際的な動きとして結実しつつある。この条約は、「核兵器が二度と使用されないことを保証する唯一の方法」として、核兵器の完全廃棄を各国に求めるもので、2017年7月に国連で採択された。同条約は、50か国が批准すれば90日後に発効する。核兵器保有国と核の傘の下に置かれた日本などの国の政府は、核抑止論を唱えて反対しているが、本年4月11日には23か国目のパナマが批准するに至っており（調印は70か国）、早期の発効と条約の締結が期待されている。まさに、半世紀余りの時を経て、人類はアインシュタインの〝遺言〟を実行に移すチャンスを手に入れようとしているのである。

【引用文献】小川仁志『ラッセル幸福論』（NHK100分de名著）NHK出版、2017年11月

（2019年7月）

「忖度《そんたく》」を有罪とした「九条俳句」裁判
――勝訴に導いた国民運動の底力

２０１４年6月25日、さいたま市の公民館は「梅雨空に『九条守れ』の女性デモ」（以下、「九条俳句」とする）と詠んだ市民の俳句を公民館だよりに掲載することを拒否した。ちなみに、「九条」とは、憲法9条のことである。作者はこれに対して、２０１５年6月、市を相手取って俳句の掲載と損害賠償を求めて訴訟を起こした。その後の主な経緯は、次の通りである。

・地裁判決を経て２０１８年5月18日、東京高裁は地裁判決と同様に市に賠償を命令。一方で掲載請求は棄却した。
・その後、双方が上告し、２０１８年12月20日、最高裁が女性と市の上告を退けたことにより、市に賠償を命じた判決が確定した。
・これを受けて、市は俳句の掲載を認め、作者に謝罪した。併せて、公民館だよりの編集を市民参画により行うことを表明した。

なお、公民館だよりは月報で、それまで、地元の俳句会が優秀と認めた俳句1句を掲載してきた。それまで掲載されてきた俳句は、次のような生活に根差した句が多い。

道売りの葉付き大根二本買ふ
雑魚を売る店の減りゆく酉の市
行きつけの町医の軒に雀の子

しかし、「九条俳句」に対しては、公民館側が「世論を二分する内容で、掲載は公民館の公平性、中立性を害する」「公民館の意見と誤解される恐れがある」として掲載を拒否したのである。この時期は、第2次安倍政権の下で、集団的自衛権の行使を容認する動きが強まり、これに反対して、憲法9条を擁護する国民運動が高まりつつあった。その中で、2014年7月1日には、政府は集団的自衛権の行使を認める閣議決定をしている。

判決内容とその意義

高裁判決は、「公民館の職員が、住民の学習成果の発表行為につき、その思想、信条を理由に他の住民と比較して不公正な取扱いをすることは、憲法が保障する思想、表現の自由という人格的利益を侵害するものである」とした。また、「公民館の意見と誤解される恐れがある」との市側の見解に対しては、それまで、句会名と作者の氏名を記して、作品を掲載してきたことから、「三橋公民館の立場として、本件俳句の意味内容について賛意を表明したものではないことは、体裁上明らかである」とした。

弁護団は、次の理由をあげて、高裁判決は画期的であると評価している。

①思想・表現の自由という憲法の中でも核となる基本的人権と、公民館における住民の社会教育活動の重要性が結びつき、行政が住民の学習成果の発表行為を不公正に扱うことを禁じたことである。

②日本の裁判史上初めて、「大人の学習権」を認めたことである。過去の判例では、もっぱら学校教育における子どもの学習に着目して、「学習権」を認めた。高裁判決は、「学習

権は、憲法26条に基づき、国民各自が、一個の人間として、また一市民として成長、発達し、自己の人格を完成、実現するために必要な学習をする権利」とした。その上で、社会教育法の各規定は、「大人の学習権を保障する趣旨のものである。」とした。

③公的な社会教育施設としての公民館の性質を論じ、公民館職員は不公正な取扱をしてはならない義務があるとしたことである。

勝訴をもたらした力は何か

では、勝訴をもたらした力は何か。

第1に、作者が勇気をもって訴えを起こし、不屈の意志を貫いたことである。

これは、裁判闘争を支える基本的な力となった。

第2に、市民を中心とした支援活動の力である。

この裁判では、市民の有志を中心として「九条俳句」市民応援団が結成され、ホームページなどを通じた広報活動や署名活動、フォーラムの開催など、積極的な支援活動を展開した。街頭での宣伝活動も、マイクやメガホンによる訴えに止まらず、「清水さん（注：市長の名字)、掲載しないとチコちゃんに叱られる。」「清水さん、掲載しましょう。ソダネー。」といったメッセージボードを掲げるなど、創意工夫をした。これにより、子どもたちが足を止めて大人と対話をするといった光景も見られるようになったのである。

第3に、研究者や社会教育の関係者が研究会やフォーラムを組織したり、理論面や実践面での情報提供を行ったことである。

私もその一員として、それまでの1年間の公民館だよりの内容分析を行い、市側が主張するような単なる主催事業のお知らせの役割に止まらず、俳句会の俳句の掲載(学習成果の公表)を始めとして、公民館を利用する学習団体の活動紹介や参加者募集など、学習支援の面でも積極的な役割を果たしてきたことを証明した。

第4に、弁護団が、以上にあげた関係者と連携しつつ、過去の判例の活用を含めた法的な根拠を示しながら、説得力のある訴訟を行ったことである。

市民の立場に立って誠実に取り組む有能な弁護団の存在は、この裁判闘争に希望の光をもたらし、関係者の力の結集を生み出す上でも、大きな役割を果たしたと言えよう。

そして、以上のような取り組みと呼応して、メディアの報道、著名な俳人、有識者、民主団体や革新政党などによる支持や支援の輪が広がって行ったのである。

最後に、このような積極的な裁判闘争が行われた背景には、安倍政権の下で展開されてきた国民運動の広がりがあるということを指摘しておきたい。国際的にも先駆的な憲法9条を擁護する国民の平和運動の奔流が、裁判闘争を支える大きな力となったということができるであろう。

（2019年5月）

「一発も撃たなかった」ことの意義
——自衛隊のイラク派遣が示唆すること

先の書評、「『官僚の本分』とは何か」では、文部科学省OBの前川喜平氏の見解を紹介した。ここでは、防衛省OBの柳澤協二氏の自衛隊イラク派遣についての見解を紹介する。

本書の中で、柳澤氏が退職後に高校生の依頼を受けて行った講演の趣旨が紹介されている。主なテーマは「戦争を起こさないために高校生に何ができるか」であった。

柳澤氏は、イラク戦争後の2004年に、小泉政権の下で自衛隊が現地に派遣された際に、内閣官房副長官補（各省の官僚のトップである事務次官扱）として官邸で統括する立場にあった。当時は、自衛隊の宿営地に砲弾が飛んできて、当たり所が悪ければ、誰かが確実に死んでいたはずであった。そのような実態に接する中で、いろいろと悩んだという。

そこで、高校生に対しては、自慢話や説教ではなく、自分が悩んできたことを率直に伝えることが大事ではないかと思った。戦争を体験した世代がいなくなっていく中で、高校生がどうやって戦争を感じ取っていくかを考えたときに、その一つのあり方として、自分の体験を語ることがあるかもしれないと。そこで、次のような話をした。

柳澤氏自身、戦後すぐの生まれで、戦争を体験していない。けれども、毎日官邸にいて、イラクに派遣された隊員が無事でいられるだろうかということを心配しながら、ずっと過ごしてきた。そもそもこの派遣は、アメリカとの同盟を維持するために、アメリカとのお付き合いとして自衛隊もイラクで汗をかかなくてはいけないという程度のことであった。それゆえに、そんなところで死なせるわけにはいかないと思っていた。

結果的に一人も死なずに帰ってきたのは良かったけれど、もしかしたら死者が出たかもしれない。どうしてそうなったかを考えてみると、こちらから撃たないという自制をきちんとしていたことに非常に大きな意味があったと思う。

そういう意味で、自分自身は戦場に身を置いていないけれども、そのような角度で戦場のリアリティを体験した。自分は戦争経験者ではないが、自衛隊を派遣する意思決定に関わったものとしてそこに向き合わなければならない。

次いで、「戦争を起こさないために何ができるか」という高校生からの問いかけに対して、「勉強してください」と答えた。その勉強は何かといえば、受験勉強とか、教科書の中身を覚えるという意味での勉強ではなくて、「他人の経験から学ぶ」ということである。その際、高校生、特に若い人たちが他人の経験を自分のものにするために大事なことは、記憶することではなくて感じとることだと思う。他人の痛みを感じるとか、自分がそうだったらどうするだろうという想像力を働かせるといったことが、実は学ぶということではないか。学生の一番大事な仕事はそこを学んでいくことではないか。

そういった話をしたという。

柳澤氏によると、派遣された現地は「一発撃てば何十発も返ってくる世界」であり、「もしかしたら死者が出たかもしれない」という危険な状態であったという。実際に、「付記」に記すように、自衛隊の宿営地は何度も攻撃の標的とされ、自衛隊員が生命の危険にさらされていたのである。

イラク派遣の実態は、政府の防衛政策について、次のような問題点を示唆している。

①安全保障関連法を根拠とした自衛隊の海外派遣の危険性

なぜ、海外の戦争状態にある所に自衛隊を派遣することになったのか。これについて、柳澤氏は、「アメリカとの同盟を維持するために、自衛隊もイラクで汗をかかなくてはいけない」という理由をあげている。アメリカに対する従属的な外交姿勢の表れである。

しかも、安倍政権の下で２０１５年９月に成立した安全保障関連法で、憲法９条違反の集団的自衛権の行使が可能とされたのである。これにより、自衛隊の海外派遣がさらに進むことが懸念されている。

②先制攻撃論や「核の傘」論の危険性

戦争とは、柳澤氏が指摘するように「一発撃てば何十発も返ってくる世界」であり、そのような攻撃を受ければ、防衛のために何十発も撃ち返すことになる。今政府が進めようとしている先制攻撃能力の具備は、いざ発動されると相手の反撃を招き、さらには全面戦争に発展する恐れがある。そうなると、国民に多くの危害を及ぼしかねない。

また、アメリカの「核の傘」は果たして我々日本人を守ってくれるのかという問いかけが求められている。「核の傘」という表現から、あたかも雨傘が我々の身を雨から守ってくれるように、その下に入っていれば安全であると思われがちである。しかし、一旦核戦争となれば、相手国からも核攻撃を受けることは必定であり、国民にとって悲惨な結果を招くことになるであろう。

以上のような問題状況の中で、我々に希望を与える国内外の動きが広がりつつある。

例えば、この年の9月19日に発表された「安保法制の廃止と立憲主義の回復を求める市民連合」の「立憲野党の政策に対する市民連合の要望書」は、自民党政権に代わる野党による政権交代の実現を目標として掲げ、4つの柱からなる15項目の政策を提示している。その中で、「1．立憲主義の再構築」では、安保法制の廃止、憲法9条の「改定」反対等を政策に掲げている。

また、「13．平和国家として国際協調体制を積極的に推進し、実効性ある国際秩序の構築をめざす」では、「『敵基地攻撃能力』等の単なる軍備の増強に依存することのない、包括的で多角的な外交・安全保障政策を構築する」としている。

それとともに、核兵器のない世界を実現するために、『核兵器禁止条約』を直ちに批准する」ことを政策に掲げている。我が国は唯一の被爆国であるにもかかわらず、政府は批准を拒み続けているが、この条約に批准した国は10月14日には47か国となり、今月中には発効に必要な50か国に達する見通しとなったことは重要な前進である。

今後、この要望書をベースとして野党の連携が進むことが期待されている。

最後に、柳澤氏が「戦争を起こさないために何ができるか」という問いかけに対して、「他人の経験から学ぶ」ことであり、「若い人たちが他人の経験を自分のものにするために大事なことは、記憶することではなくて感じとることである」と答えたことも示唆に富んでいる。さらに付け加えるならば、「感じとった」問題が生じた原因と正しい解決方法を理解する科学的な精神を培うことが求められていると思われる。

【付記】自衛隊のイラク派遣の経緯と実態について

イラク戦争は、イラクのフセイン政権が大量破壊兵器を保有しているとアメリカ政府が表明して、国連での合意がないまま、イギリスとともに２００２年3月に仕掛けた戦争であった。この年の12月にフセインは逮捕され、戦争は終結するかに見えた。しかし、戦争の口実とされた大量破壊兵器は見つからなかった上に、その後長期にわたって内戦状態が続いたのである。

その翌年、小泉政権はアメリカ政府の要請を受けて、人道復興支援活動と安全確保支援活動を目的として自衛隊を派遣した。期間は、2003年12月から2009年2月までであった。陸上自衛隊は「人道復興支援」のため、比較的治安が安定しているとされたイラク南部の都市サマワの宿営地を中心に活動し、航空自衛隊は輸送活動を行った。防衛省が2018年4月18日に開示した陸上自衛隊イラク派兵日報は、多くの部分が黒塗りとされていた。その中でも、「宿営地付近にロケット弾が着弾」、「宿営地に曲射火器による射撃がなされる」など、何度も攻撃の標的とされた実態が浮き彫りになり、「非戦闘地域に自衛隊を派遣する」という政府の説明が虚構であることが明白となった。

【引用文献】柳澤協二・前川喜平『官僚の本分―事務次官の乱の行方―』かもがわ出版、2020年8月

（2020年10月）

紛争の平和的解決に果たす国際機関の役割について
――ロシアのウクライナ侵略をめぐって

はじめに

去る2月24日に、ロシアはウクライナに侵攻した。ロシアのプーチン大統領は「ウクライナのナチス化を防ぐ」ことなどを大義名分として掲げたが、全く不当な理由であった。しかも、どのような理由であれ、他国に武力侵攻することは国連憲章に反する行為であって決して許されるものではない。

ロシアによる侵略の不当性と相まって、無差別爆撃などの非人道的な行為に対しても、国際社会から強く非難されている。その中で、国連をはじめとする国際機関は、ロシアの侵略を批判し、紛争の平和的な解決に向けて国際社会の世論をリードするなど、積極的な役割を果たしつつある。

国際機関はどのように対応してきたか

ロシアのウクライナ侵略に対する国際機関の対応について、第1に、ロシアに対する非難決議案の採択や戦争犯罪調査等の状況、第2に、国際機関におけるロシアのポストのはく奪という2つの側面から見てみよう。

・ロシア非難決議案の採択状況等

次のように、ロシアに対する非難決議案の採択や戦争犯罪調査等が実施されてきた。

2022年2月25日　国連安全保障理事会、ロシアのウクライナ侵略を非難する決議案を採決

しかし、ロシアと中国が拒否権を行使したために否決される。

2022年3月2日　国連総会緊急特別会合、ロシアの侵略を国連憲章違反であるとして、無条件撤退を求める決議案を採択

加盟国（193カ国）の7割を超える141カ国が賛成した。このことにより、国連憲章の精神に基づき、ロシアを断罪するとともに、侵略と戦うウクライナ国民を支持する国際社会の意志を示したのである。

2022年3月2日　国際刑事裁判所（ICC）がロシアによる戦争犯罪の捜査を開始

3月4日には、国際人権法等に基づく人権侵害調査委員会を設置し、ロシアの戦争犯罪について調査を実施するなどの取り組みが進められている。

・ロシアが失った国際機関のポスト

以上の取り組みと相まって、ウクライナ侵略を契機として、ロシアは次に示すように、国際機関における重要なポストを次々と失うことになった。

※以下、読売新聞オンライン「『孤立』進むロシア、国際機関ポスト失う」（5月3日）などによる。

国連人権理事会（ジュネーブ）
　国連総会が理事国としての資格を停止（4月7日）
国連児童基金、国連女性機関（ニューヨーク）
　執行理事会メンバーの改選でロシアが落選（4月13日）。いずれも年末に任期切れを迎える。
国連世界観光機関（マドリード）
　総会で加盟国としての資格を停止（4月27日）
欧州評議会（仏・ストラスブール）
　閣僚委員会（最高意思決定機関）が評議会から除名（3月16日）

国際機関の民主的な改革のために

・これまでの国際機関の対応が示唆すること

国連安全保障理事会でロシアへの非難決議案がロシアの拒否権行使により否決されたことをもって、国連無力論がメディア等を通して広く流布された。

しかし、非難決議案に対する拒否権行使がなされた下でも、以上に示したように、国連憲章を初めとする国際法に基づき、国際機関はロシアの侵略行為を不当であるとして断罪し、その阻止に向けて国際世論を結集する上で、大きな役割を果たしてきている。また、ロシアは自らの誤った行為により、国際社会における発言力や地位の大幅な低下を招いてしまったのである。

今後は、国際機関の民主的改革により、国際紛争の平和的解決のために、その権限と役割を強化することが求められている。

・国際機関の民主的改革のための課題について

ロシアのウクライナ侵略により、第２次世界大戦の戦勝国に常任理事国のポストと拒否権という特権を付与する制度の問題が浮き彫りになった。

今後は、常任理事国は地域性に配慮しつつ民主的に選出すること、また、拒否権の付与は廃止し、あくまで国連加盟国の総意に基づいて決定する仕組みに改めることなどを含めて、国際機関の運営体制を民主的に改革することが求められている。その際、国連から特定の国を排除することがないよう、留意することが求められる。

我が国は、平和憲法を有する国として、また広島、長崎への原爆投下という惨禍を体験した国として、戦争のない社会実現のために、国際社会において積極的な役割を果たすことが期待されている。このため、国民の先頭に立ってその使命を担う政府の実現が待たれている。

〈参考〉国際連合憲章

国際機構に関する連合国会議において、1945年6月26日にサンフランシスコ市において調印され、1945年10月24日に発効した。

第2条第3項
すべての加盟国は、その国際紛争を平和的手段によって国際の平和及び安全並びに正義を危くしないように解決しなければならない。

第2条第4項
すべての加盟国は、その国際関係において、武力による威嚇又は武力の行使を、いかなる国の領土保全又は政治的独立に対するものも、また、国際連合の目的と両立しない他のいかなる方法によるものも慎まなければならない。

（2022年7月）

戦争のない世界への道筋

はじめに

私は、以前に書いた「紛争の平和的解決に果たす国際機関の役割について」の中で、ロシアによるウクライナ侵略に反対する国際世論の動向を紹介した。一方、国民の間には、この紛争を他人事ではないとして、我が国に対する中国、ロシア等による軍事的攻撃や侵攻の脅威にどう対処すべきかについて、関心が高まっている。

この問題について、どう考えるべきであろうか。そこで、まずはこれまでの我が国の防衛政策の動きを振り返る中で、課題を明確にしたい。

これまでの我が国の防衛政策を振り返る

政府は戦後長らく、憲法9条の下では、「集団的自衛権」の行使、つまり「同盟国が武力攻撃を受けた場合に協同して反撃すること」は認められない。しかし、我が国が外国から武力攻撃を受けた場合には、「個別的自衛権」を行使して防衛することは認められるとみなしてきた。そして、「先制攻撃や自国領土外の軍事活動を行わず、相手から攻撃を受けた時に初めて自衛力を行使する」という立場を取り、それを「専守防衛」と表現したのである。しかし、第2次安倍内閣の2014年7月1日に、閣議決定により、従来の解釈を変えて集団的自衛権の一部行使容認に踏み切ったのである。

この結果、日米軍事同盟の下で、アメリカが主導する戦争に参加するという任務が、新たに自衛隊に課されることになった。しかし、これは明らかに憲法違反の行為である。そこで政府与党は、自らの政策転換を正当化するために、改憲への動きを強めている。

そして、ロシアによるウクライナ侵攻を、「明日は我が身である」として、「防衛」予算の大幅な増加を目指すとともに、改憲のための宣伝に利用しているのである。しかしこれでは、アメリカ主導による外国との戦争に、我が国がますます巻き込まれて行くことになるであろう。

したがって、この動きを食い止めて、以前の個別的自衛権行使（「専守防衛」）の立場へと政策転換を図ることが、当面する重要な課題となっている。

憲法9条を生かすとはどういうことか

ところで、憲法9条の解釈については、国民の間で見解の相違がある。例えば、政府の政策を個別的自衛権の行使に限定した場合に、それを合憲とみなすか否かについてである。

そこで、憲法に関する解説書（引用文献は本文書の末尾に掲載）に基づき、「憲法9条を生かすとはどういうことか」について、改めて自分自身の見解を整理した。

・「戦争放棄」（9条1項）の解釈

まず、「戦争と、武力による威嚇又は武力の行使」を放棄するとした9条1項の解釈である。これについては、特定種類のものを放棄したとする「限定放棄説」と、それらを全面的に放棄したとする「全面放棄説」に大きく分かれるという。

これらの両説は、直接には、「国際紛争を解決する手段としては・・・放棄する」という文面の理解をめぐって対立する。

「限定放棄説」は、これまでの国際法上の用例（不戦条約1928年、国連憲章1945年）が、この言いまわしによって、もっぱら侵略戦争を禁止しようとしてきたことを根拠としてあげ、憲法9条もそのような従来の語法を前提として解釈すべきだとする。

これに対して、「全面放棄説」は、およそ「国際紛争を解決する」ためでない戦争はないことなどを論拠としてあげている。

・「自衛権」と「戦争放棄」の関係について

では、国連憲章に書き込まれた「自衛権」と憲法9条の「戦争放棄」はどう関係するだろうか。

「限定放棄説」では、自衛戦争が憲法上可能であり、その際、「自衛権」は国家固有のものとして当然に肯定されている、さらには、もともと放棄できない性質のものだということを強調する。

これに対して、「全面放棄説」の論者も、その大部分は「自衛権」を肯定している。但し、戦力その他の実力手段によるその行使を否定するという論法をとっている。そこでは、外交努力その他の平和的方法による「自衛権」行使が想定されている。

・戦力の不保持（9条2項）について

次いで、9条2項は「陸海空軍その他の戦力を保持しない」と規定している。

これについて、「限定放棄説」の論者は、侵略戦争をおこなう戦力のみを保持しないものと解する。

これに対して、「全面放棄説」の論者は、「陸海空軍その他の戦力」をすべて保持しないものと解する。

・どのような対応が求められるか

以上、9条について、2つの異なる解釈を示した。安倍内閣が2014年7月の閣議決定により集団的自衛権の一部行使容認に踏み切るまでの間、政府は「限定放棄説」を採用してきたのである。

「限定放棄説」の立場に立てば、外国による侵略に対して「戦力その他の実力手段」により個別的自衛権を行使することは、合憲（憲法違反ではない）ということになる。これに対して、「全面放棄説」では違憲ということになる。

今後は、どちらの解釈を支持するにせよ、まずは政府が進めている集団的自衛権行使の動きを食い止めて、以前の「専守防衛」の路線に立ち返り、自衛隊の任務を個別的自衛権の行使に限定することが当面の重要な課題となっている。なお、集団的自衛権を行使した場合には、アメリカ主導による戦争への参加によって自衛隊員の命が失われたり、相手国から我が国が攻撃を受けるリスクが生じる。このような事態を避けるためにも、政策の転換が急務となっている。

なお、「限定放棄説」は、9条改憲論が叫ばれる中で、国民が9条の今日的な意義を再認識する大きな力となるであろう。また、外国から侵略を受けた場合に、我が国の領土や国民を守るという使命を担う自衛隊の任務は合憲とみなされ、多くの国民から敬意をもって評価されることになるであろう。

戦争のない世界の実現に向けて

我が国は、平和憲法を有する国として、また広島、長崎への原爆投下という惨禍を体験した国として、戦争のない社会実現のために、国際社会において積極的な役割を果たすことが期待されている。このため、ＡＳＥＡＮ（東南アジア諸国連合）の友好協力条約（ＴＡＣ）のような条約を近隣諸国と締結することが求められる。ちなみに、ＴＡＣでは、武力行使を禁止し、紛争の平和的解決を義務付けている。

この立場から、領土問題などの近隣諸国との係争問題に対しては、あくまで話し合いによる平和的な解決に努めるべきである。なお、そのような関係が定着するまでは、相手国から軍事的な攻撃がなされるケースも否定できない。その場合には、「自衛力」を行使して我が国を守る必要がある。

その上で、さらなる目標として、憲法９条の完全実施に向けて、近隣諸国との紛争の平和的解決を義務付けた平和条約の締結、アメリカとの軍事同盟の解消と平和条約の締結をめざすことである。

子供たちの世代に平和な社会を手渡すためにも、こうした声を広げるとともに、以上の任務を担う政府を実現することが求められている。
なお、ロシアによるウクライナ侵略を阻止して平和を取り戻すことは、侵略行為を不当とみなす国際世論を強めることなどにより、国際紛争の平和的解決への道を拓く大きな力となるであろう。

（２０２２年９月）

【引用文献】　樋口陽一『憲法』、勁草書房、１９９２年４月

上條秀元（かみじょう・ひでもと）

1943年 長野県生まれ。宮崎大学名誉教授。東京教育大学（現.筑波大学）大学院修士課程修了後、千葉県習志野市教育委員会、千葉県総合教育センター、国立社会教育研修所、文部省（現. 文部科学省）生涯学習局等において専門的職務に従事。その後、宮崎大学生涯学習教育研究センター教授（センター長）、常葉学園大学教育学部教授（生涯学習学科長）等を歴任
一方、社会貢献活動として、宮崎県社会教育委員（議長）、宮崎県社会教育委員連絡協議会会長、宮崎県ボランティア協会会長、静岡県生涯学習審議会会長、全国社会教育委員連合副会長等を歴任
現在、全日本年金者組合千葉県八千代支部 エッセイの会会員

転換期の時代を生きる

二〇二三年九月二十日　初版第一刷発行

著　者　上條秀元
発行者　谷村勇輔
発行所　ブイツーソリューション
〒四六六・〇八四八
名古屋市昭和区長戸町四・四〇
電　話　〇五二・七九九・七三九一
ＦＡＸ　〇五二・七九九・七九八四
発売元　星雲社（共同出版社・流通責任出版社）
〒一一二・〇〇〇五
東京都文京区水道一・三・三〇
電　話　〇三・三八六八・三二七五
ＦＡＸ　〇三・三八六八・六五八八
印刷所　藤原印刷

ISBN978-4-434-32421-5